D0583192

**Du même auteur
chez le même éditeur :**

Série : La bande des 5 continents, illustrée par Louise-Andrée Laliberté
Pacte de vengeance, 2007
Les vampires des montagnes, 2007
L'étrange M. Singh, 2006
Le monstre de la Côte-Nord, 2006
La mèche blanche, 2005
Le coup de la girafe, Finaliste au Prix du Gouverneur Général du Canada 2012, Finaliste au Prix Jeunesse des libraires du Québec 2012, 5e position au Palmarès de Communication-Jeunesse 2013, Finaliste au prix Alvine-Bélisle (ASTED) 2013

Chez d'autres éditeurs :
Trente-Neuf, éditions du Boréal, coll. Inter, 2008
Au temps des démons, éditions de l'Isatis, coll. Korrigan, 2008
Le Sentier des sacrifices, éditions de la courte échelle, 2006
Les tueurs de la déesse noire, éditions du Boréal, coll. Inter, 2005
Les crocodiles de Bangkok, éditions Hurtubise, coll. Atout, 2005
Le ricanement des hyènes, éditions de La Courte Échelle, 2004, Prix du Gouverneur Général du Canada 2005
La déesse noire, éditions du Boréal, coll. Inter, 2004
L'intouchable aux yeux verts, éditions Hurtubise, coll. Atout, Mention spéciale du jury, Prix Alvine-Bélisle 2005
La caravane des 102 lunes, éditions du Boréal, coll. Inter, 2003
La marque des lions, éditions du Boréal, coll. Inter, 2002

WWW.CAMILLEBOUCHARD.COM

La forme floue
des fantômes

Sur notre site, tout est clair et net :
www.soulieresediteur.com

Camille Bouchard

La forme floue
des fantômes

SOULIÈRES
ÉDITEUR
www.soulieresediteur.com

case postale 36563 — 598, rue Victoria
Saint-Lambert (Québec) J4P 3S8

Soulières éditeur remercie le Conseil des Arts du Canada et
la SODEC de l'aide accordée à son programme de publication
et reconnaît l'aide financière du gouvernement du Canada
par l'entremise du Fonds du livre du Canada (FLC) pour ses
activités d'édition. Soulières éditeur bénéficie également du
Programme de crédit d'impôt pour l'édition de livres — Ges-
tion Sodec — du gouvernement du Québec.

Dépôt légal : 2014
Bibliothèque nationale du Canada
Bibliothèque nationale du Québec

**Catalogage avant publication de Bibliothèque et Archives
nationales du Québec et Bibliothèque et Archives Canada**

Bouchard, Camille

La forme floue des fantômes

(Collection Graffiti ; 90)

Pour les jeunes de 13 ans et plus.

ISBN 978-2-89607-276-7

I. Titre. II. Collection : Collection Graffiti ; 90.

PS8553.O756F67 2014   jC843'.54   C2014-940343-7

PS9553.O756F67 2014

Illustration de la couverture :
François Thisdale

Conception graphique de la couverture :
Annie Pencrec'h

À ma mère
dont la mémoire floue
est peuplée de fantômes.

« Dans un homme de génie,
il y a toujours un enfant plein de fantaisies. »
Honoré de Balzac

1

COMMENT RACONTER UNE HISTOIRE QUI N'A PAS DE DÉBUT ? Ce récit, comme tous les autres, doit bien commencer quelque part, mais j'ignore à quel moment.

À ma naissance ? Si je vous relatais ma vie, oui, ce serait le début. Mais ce n'est pas le cas. Enfin, je veux dire, je ne vous retracerai pas *toute* ma vie. Seulement une portion. Sinon, ça deviendrait vite ennuyeux. Quatre-vingt-dix-neuf pourcent de mon existence se résume à manger, dormir, aller à l'école, faire mes devoirs, faire pipi... votre réalité à vous aussi, quoi ! Alors, à quoi bon raconter tout ça ?

Non, cette histoire ne s'amorce pas à ma naissance. Sinon, pourquoi pas à celle de mon père ? Ou à celle de ma mère ? Ou de leurs parents avant eux ? C'est qu'il y a toujours un début à un début. Je crois que rien ne commence jamais. Tout est lié. On peut remonter comme ça jusqu'au big-bang, la formation de l'Univers. Et même cette grande explosion qui a donné naissance aux galaxies et à l'espace-temps découle de quelque chose. C'est juste qu'on ignore quoi.

De Dieu ? que je vous entends penser. Ne soyons pas irrationnels. Avant, on s'imaginait que l'intervention de Dieu commençait au premier homme et à la première femme. Ensuite, la science a expliqué que c'était beaucoup plus complexe et, surtout, que ça reculait pas mal plus loin dans le temps.

Donc, il n'y a pas de début. Aussi, je vous raconterai cette histoire à mesure que ça me vient.

D'abord, les présentations. Je m'appelle Tristan Berthiaume. J'ai treize ans. Mon père se nomme Jean-Michel Berthiaume, ma mère, Stéphanie Deslauriers. Bon, je devrais dire, feue ma mère, car elle est décédée voilà cinq ans. C'est triste, mais c'est la vie. La mort en fait partie. Je l'ai appris à la dure.

Ma mère, un soir, nageait sur le lac où nous avons un chalet. Elle s'est noyée. Elle n'a pas été imprudente. C'était une excellente nageuse. Elle avait l'habitude de ces petits exploits sportifs. Mais ce soir-là... Des crampes sans doute. En tout cas, la mort nous a joué, à elle comme à nous, un de ses sales tours.

Croyez-moi, quand on a huit ans, il est très pénible de regarder dormir sa maman en sachant qu'elle ne se réveillera plus. Qu'on ne sentira plus jamais ses bras autour de soi, qu'on ne respirera plus jamais son parfum de mère. Et, pour avoir vu mon père souffrir à mes côtés, je peux vous dire que c'est difficile aussi de perdre son épouse. Surtout si on l'aime comme mon père aimait ma mère.

Enfin, ceci n'est pas vraiment important. À tout le moins, pour l'histoire que j'ai à vous raconter.

Tristan Berthiaume, donc, fils de Jean-Michel et Stéphanie.

Je vois dans vos pensées que vous m'imaginez vaguement blond, les yeux bleus, certains même me croient très grand, avec des mèches carotte tombant devant mes iris pers et sur mon nez tavelé de taches de rousseur... Eh bien, vous avez tout faux. Je suis noir. Les cheveux et les yeux. Même la peau. Je suis né en Haïti. C'est seulement que, de ma vie là-bas, je ne connais rien. J'ai été adopté quelques semaines après ma naissance et on m'a fait prendre un vol pour le Québec. Oubliez vite les clichés : je n'ai pas l'accent créole, je n'ai pas de grand-mère qui s'adonne au vaudou – enfin, pas à ma connaissance –, et je n'entretiens pas de nostalgie inconsciente de ma famille antillaise.

La ville où je vis n'est pas très multiculturelle encore. Même s'il ne s'agit pas d'un village, ce n'est pas non plus Montréal ni Québec. La quasi-totalité des ménages sont plutôt de souche blanche francophone. Alors, je jure un peu dans le décor. Pourtant, je suis comme tous les Québécois nés ici. J'aime jouer à des jeux vidéo, lire des bédés et manger des cochonneries.

Ce qui me différencie vraiment, c'est surtout que je suis un génie.

Du moins aux dires de mes profs de maths, de sciences naturelles, de biologie, de chimie et de physique. Selon eux, mes notes de cent pour cent et l'ennui généralisé que je manifeste à leurs cours témoignent de ma capacité hors du commun à absorber les matières qu'ils enseignent. La question que je me pose, alors, est : si je suis un génie, pourquoi ai-je tant de difficulté avec le français, les arts plastiques, la musique et l'enseignement religieux ?

Et les filles ?

Ça, les filles, pour moi, c'est un mystère pas mal plus complexe que la nucléosynthèse stellaire, la mécanique quantique ou la géométrie différentielle. Bon, je connais le principe biochimique qui explique en grande partie les effets hormonaux de la physiologie animale. Mais n'empêche. Ça ne m'est d'aucun secours lorsque je veux m'adresser à une fille qui me plaît.

Comme la sœur de mon copain Fabrice, par exemple : Anoushka Marquis. Rousse et flamboyante comme un coucher de soleil, la peau aussi blanche qu'un versant de montagne en hiver, les yeux verts pareils à une forêt de pins... Qu'est-ce que je la trouve jolie !

Fabrice, par contre, est beaucoup moins réussi, si vous voyez ce que je veux dire. On croirait que ses parents s'en sont servi comme brouillon avant de créer Anoushka. Physiquement, il est le parfait opposé de sa sœur : laid, mal assuré, gros... non, extra-gros... non, énorme, monumental, colossal...

Monstrueux.

Si vous voyez ce que je veux dire.

À quatorze ans, il est le plus grand et le plus costaud étudiant de notre école. Et je signale que nous côtoyons des gars de cinquième secondaire. On lui a proposé de jouer dans l'équipe de football de l'établissement, mais Fabrice n'aime pas les sports. Surtout, il ne comprend rien aux stratégies. Il ne saisit jamais les directives du quart-arrière au moment des rassemblements tactiques – vous savez, ces espèces de chuchoteries qui précèdent les séquences de jeu.

La famille de Fabrice est arrivée dans notre ville à l'été seulement. Pierre et Diane, ses parents, avec leur fils et leur fille, ont emménagé dans un cinq et demi d'un bloc appartement situé non loin de chez moi. Avant, ils vivaient en Saskatchewan. Ils sont venus au Québec à cause du père qui est ingénieur civil et qui a obtenu un poste de direction dans une entreprise de notre ville. Ils sont présentement à la recherche d'une maison.

On pourrait croire que Fabrice, cette montagne de muscles et d'os, est un étudiant respecté, voire craint des autres élèves de notre école. Eh bien, détrompez-vous. Il est si timide et réservé qu'il fait tout pour se rendre invisible – ce qui, admettez-le, étant donné son gabarit, se révèle plus improbable que de résoudre un jour la quadrature du cercle.

C'est peut-être pour ça que nous sommes devenus copains, Fabrice et moi. Il y a beaucoup de similitudes dans nos différences extrêmes. La plus importante, sans doute, est celle de notre rejet à l'école. Quand tu es à part, tu n'as pas de relation avec ceux qui se ressemblent. Pourtant, nous qui contrastons si fort l'un avec l'autre, nous sommes la preuve que les contraires peuvent s'apporter beaucoup.

Bref. Après l'arrivée de Fabrice dans notre institution, ça n'a pas été long qu'une bande de crétins de troisième secondaire ont repéré sa naïveté et sa fragilité.

Ils sont quatre, lesdits crétins. C'est pour ça qu'on les appelle les *Trois mousquetaires*.

Ils sont surtout épais. C'est pour ça qu'on les appelle aussi les *Quatre épais*.

Tiens, c'est peut-être ici que cette histoire commence justement. Lorsque je me suis adressé à Fabrice pour la première fois. Quand nous sommes devenus copains. C'était un jour d'octobre. Il faisait beau. À la radio, on parlait de l'été indien. À l'école, à la fin des cours, notre autobus était en retard pour nous ramener à la maison. Il y avait un problème mécanique quelconque. Les *Quatre épais*, pour passer le temps, décident de forcer Fabrice à chanter.

— Allez ! Tu dois pouvoir nous pousser un air d'opéra ? Tous les ténors sont des gros tas comme toi.

Avouez que, pour proférer une insignifiance du genre sous un prétexte aussi stupide, il faut vraiment avoir envie de niaiser.

— Imagine que t'es au cours de musique.

Le chef de la bande, yeux bleus et cheveux blonds, s'appelle Michel Voyer. Son plus grand plaisir, c'est d'écraser son prochain. Je ne sais pas ce qu'il recherche à être méchant comme ça, tout le temps. Je le connais depuis le primaire et il a toujours été ainsi. Avec moi comme avec bien d'autres. Je crois que, à fouler les faibles du pied, il se donne l'illusion d'être imposant.

— Ouais, pousse-nous une chansonnette, grosse tapette, genre du Mozart.

— Ou du Shakespeare.

Ses acolytes, Antoine, Robin et Marco, ne lui servent que de faire-valoir. Ils sont aussi ignares que lui dans toutes les matières. Sinon plus. Ce qui n'est vraiment pas peu dire. Je crois que Michel Voyer choisit ses amis en fonction du degré d'admiration que ceux-ci portent à ses actions stupides. Ils justifient son imbécillité, quoi. Plus bête que ces quatre-là, tu grimpes aux arbres en mangeant des bananes.

Donc, ce jour-là, dans l'attente du véhicule en retard, nous sommes une trentaine d'étudiants – fractionnés en plusieurs groupes selon les amitiés –, à faire le pied de grue dans le stationnement. Fabrice et moi sommes à l'écart, mais chacun de son côté.

— Shakespeare, c'était pas un musicien, corrige Voyer devant un Antoine au regard éteint, c'était un peintre célèbre.

— Ce que tu es con, toi, des fois ! approuve Robin.

— La Joconde, c'était lui, renchérit Marco.

Michel Voyer se désintéresse de ses acolytes pour se replacer face à Fabrice.

— Alors, gros puant ? Tu chantes oui ou non ?

Il a élevé un peu la voix car, du coin de l'œil, il a repéré la jolie Sarah Marcoux. Elle passe non loin de là en compagnie de deux de ses copines. Je présume que l'idiot cherche à impressionner l'étudiante en montrant qu'il n'a pas peur de s'attaquer à un type quatre fois plus costaud que lui.

Pourtant, le pauvre Fabrice est pâle comme la lune tellement il craint Voyer et ses trois caniches. C'est plus fort que moi. Je ne réfléchis pas. Je choisis de venir en aide au nouveau de l'école, car il me paraît gros et doux comme un gigantesque toutou. Quitte à ce que la hargne des *Quatre épais* se retourne contre moi.

— Alors, c'est vrai, les rumeurs, Michel Voyer ?

Tout le monde se tourne vers moi pour me jeter un regard surpris – même la jolie Sarah Marcoux avec ses copines. Je suis à cinq pas du groupe, appuyé sur une seule jambe, mon sac d'école en bandoulière sur mon épaule droite.

— De quoi tu parles, le bamboula ? demande Voyer en grimaçant comme un chihuahua qui montre les crocs au facteur.

— De ton petit zizi.

S'ensuivent quatre expressions stupéfiées, la mine encore plus apeurée de Fabrice, et le fou rire de Sarah Marcoux et de ses copines. Je laisse s'écouler trois secondes d'immobilité avant de poursuivre :

— Mais ne t'en fais pas, c'est normal. Je l'ai lu dans un bouquin de psychologie. Tous ceux qui ont un petit zizi font en sorte d'oublier leurs complexes en harcelant leur entourage.

— Tu me défies, maudit bamboula ! Je vais t'écraser comme... comme...

En cherchant ses mots, Voyer marche les deux premiers mètres des cinq qui me séparent de lui. Je m'empresse donc d'ajouter pour l'arrêter :

— Il est aussi écrit que plus le zizi est petit, plus le complexé sera méchant. Il s'efforcera surtout de s'attaquer à ceux qui sont, soit moins costauds que lui, soit trop timides pour réagir. Bref, il fera preuve de très peu de courage.

Fiou ! Voyer s'immobilise. Je crois que ce sont les rires des filles qui l'arrêtent. Pas mes sarcasmes ni mes suppositions. Si le crétin avait fait un pas de plus, je me mettais à courir. Il tient ses poings fermés à la hauteur de la poitrine, prêts à cogner.

La théorie personnelle que je viens d'expérimenter semble s'avérer exacte : il est plus facile de mettre un adversaire en échec en le ridiculisant plutôt qu'en le frappant. Du moins, les idiots du genre à Voyer. Les actions d'un moron de son acabit visent à attirer l'attention. Mais pas de n'importe quelle manière. Michel Voyer cherche une forme de respect, voire d'admiration de la part de son public. Et quand ledit public s'avère être de jolies filles à la Sarah Marcoux, la dernière chose souhaitée est de se rendre ridicule.

C'est pourquoi j'ai choisi de frapper là où l'orgueil est le plus puissant : la virilité.

Bien sûr, vous et moi savons que le courage, la force et toutes les vertus que l'on prête aux gens n'ont rien à voir avec quelque partie que ce soit de l'anatomie, mais des idiots comme Michel Voyer et ses trois acolytes l'ignorent.

Et se laissent prendre au piège.

— Peuh ! Qu'est-ce que tu crois, le bamboula ? qu'il lance, Voyer, en n'osant plus avancer et risquer ainsi d'établir des doutes sur la taille de son zizi. Que je vais m'abaisser à me mesurer à une tapette comme toi ? Ou comme lui ? qu'il ajoute en désignant Fabrice.

Bien sûr, si on lui demandait une définition exacte du mot « tapette », il serait bien en peine de répondre.

Michel Voyer jette un coup d'œil rapide en direction des filles – qui le regardent avec un sourire en coin — et il conclut en agitant la main dans ma direction puis dans celle de Fabrice :

— Allez ! Dégagez la place ! Toi et la montagne de graisse, vous nous cachez le soleil.

Il aurait peut-être ajouté autre chose, mais l'autobus vient d'arriver. Avec une moue dédaigneuse, il s'empresse de grimper à bord, suivi de ses béni-oui-oui. En dépit des tapes sur les mains que les quatre gaillards s'échangent en se dirigeant vers les sièges en arrière, ils ont davantage l'air de battre en retraite que de célébrer une victoire. Les filles montent plus tard, toujours en riant. Moi, j'attends à la toute fin, pour grimper en même temps que Fabrice. Je m'assois à côté de lui dans les premières rangées.

— C'est vrai ce que tu as dit ? me chuchote le gros garçon tandis qu'il se tortille pour s'installer dans son siège qui couine de douleur.

— Quoi donc ?

— À propos des petits zizis.

— Bien sûr que non. J'ai tout inventé.

— Sûr ?

— C'était seulement pour convaincre cet imbécile de nous sacrer patience. Avec de la chance, il n'osera même plus nous croiser dans les corridors de l'école de peur qu'on revienne avec cette histoire.

— Donc, les gars avec des petits zizis, là, ils ne sont pas méchants ?

— Non, je te dis.

Il se cale dans le dossier de son fauteuil en soupirant bruyamment.

— Tant mieux. Parce que le mien, il est vraiment minuscule.

2

MON PÈRE M'ACCOMPAGNE À CETTE REN-
CONTRE ENTRE PARENTS ET ENSEIGNANTS.
Nous sommes samedi. C'est poche
de revenir à l'école une fin de semaine, mais
bon, nous sommes avec mon prof de maths,
monsieur Urge – prononcez Ur-Gué, c'est
hongrois –, et ce dernier est très enthousiaste
à mon égard. Face à l'un de nos parents, ce
genre de situation est toujours agréable.

— *Jól* ! Ché fous leuh dis : cé gamin, c'est
une tgénie. Vous tévriez l'enfoyer dans un
institution spécialisée pour enfants surtoués.

— J'aimerais bien, réplique papa en pla-
çant une main affectueuse sur mon épaule,
mais il n'y en a pas dans notre ville, d'écoles
pour enfants surdoués, et nous devrions dé-
ménager. Mon travail...

— Fotre travail ? Mais fous êtes plombier, méssieur Perthiaume, fous poufez fous refaire une clientèle où fous foulez.

— Pas si simple, méssieur... monsieur Urge, pas si simple. Je n'ai pas les moyens, non plus, de payer ces établissements privés. Sans compter que, pour obtenir une bourse, il faudrait que Tristan reçoive des recommandations en béton. Vos collègues, les professeurs de français et d'arts, risquent d'être moins enthousiastes que vous. Pas vrai, Tristan ?

Et mon père profite de sa main sur mon épaule pour me secouer un peu.

— Leuh français et lés arts ? s'exclame monsieur Urge. Quelle importance, nom dé Dieu ? Ché parlé leuh français, moi, chuste oune pétit peu et c'être suffisant pour meuh fairé comprendre dans la fraie fie !

— Vous faire comprendre dans quoi ?

— La vraie vie, papa.

— Voui ! La fraie fie, cé sont lés mathématiques, lés sciences, la piolochie, la tchimie, la physique... Fotre femme, la mére dé Tristan, elle dit quoi ?

— Je suis veuf, monsieur Urge, réplique mon père rapidement comme s'il voulait éluder au plus vite ce détail qui le dérange toujours un peu.

— Ah ? Ché souis tésolé.

Monsieur Urge va ajouter je ne sais trop quoi quand on frappe à la porte du local. Je me dis que nous avons peut-être déjà dépassé le temps qui nous était alloué et qu'un autre parent insiste pour rencontrer le professeur de mathématiques de son enfant. Puis, par la vitre, je reconnais la tête bien chevelue de monsieur Lemaire, le directeur de l'établissement.

— Excusez-moi de vous déranger, lance ce dernier en entrant dans le local avec cette souplesse athlétique qui le fait davantage ressembler à un moniteur de ski qu'à un employé de bureau. Je dois malheureusement quitter la rencontre plus tôt mais, avant de partir, je tenais à serrer la main du père du meilleur élève de notre école.

— Sauf en français, en arts plastiques, en musique et en enseignement religieux, insiste mon paternel en accueillant les doigts tendus du directeur.

— Oui, j'avoue que, dans ces disciplines, il y a matière à amélioration, mais n'empêche, pour le moment, nous sommes très étonnés et très contents des notes de Tristan en mathématiques, en biologie, en...

— Ché leur tisait la mémé tchose, renchérit monsieur Urge, et ché mé témandais si la maman dé Tristan était toujours fifante si elle acceptérait qué tson fils perdé son temps ici tandis qué tans oune école spécialissée...

— Certes, monsieur Urge, certes, l'interrompt le directeur, vaguement mal à l'aise. Mais c'est là une question hypothétique, vue que madame... que la mère...

— J'ai une nouvelle conjointe, lance papa.

« Oh non, pas elle ! » que je me dis en mon for intérieur.

Mon père sait pourtant que ce... cette femme-là... Bref. Pour qu'il se résigne à en parler, c'est que les condoléances embarrassées de mon professeur et du directeur doivent sérieusement commencer à l'agacer.

— Oh, vous avez une... une nouvelle... balbutie monsieur Lemaire.

— Et qué pensé cétté personné tou génie té Tristan ?

— La même chose que moi : elle est ravie des notes de Tristan dans plusieurs matières, mais aimerait bien qu'il soit plus performant dans d'autres.

— Et cette femme... votre con... jointe, continue de bafouiller le directeur, votre...

— Annie, qu'elle s'appelle, annonce papa.

Je grogne par en dedans en entendant ce prénom.

— Et cette Annie, elle a... apporté des petits frères et sœurs à Tristan ?

— Non. Elle n'a jamais été en couple avant.

— *Jól* ! C'est pien, ça ! Oune fille qui n'a pas té passé !

Mon père soulève ses sourcils très hauts devant monsieur Urge. Il s'étonne :

— Qui n'a pas trépassé ?

— Non. Qui n'a pas de passé, corrige monsieur Lemaire.

— C'est pien ça ! répète le professeur de maths. Qui n'a pas té passé.

— Bon ! Alors, moi, j'y vais, dit le directeur en tendant de nouveau la main à mon père. Très heureux de vous avoir revu, monsieur Berthiaume. Et félicitations pour votre fils si brillant. À lundi, Tristan.

— Merci, réplique papa tandis que j'incline simplement la tête pour saluer.

Au moment de franchir la porte, le directeur lance :

— Et dites à votre conjointe, à cette madame Annie, que j'aimerais bien...

Mais il se heurte presque à Pierre Marquis et à sa femme Diane, les parents de Fabrice et d'Anoushka qui arrivent au même moment. Eux aussi se pointent pour rencontrer le professeur de maths.

— Oh ! Nous croyions que vous aviez terminé, s'excuse monsieur Marquis.

— Si, si, c'est votre tour, rétorque monsieur Lemaire.

Et, en s'éloignant, il pivote à demi pour s'adresser une dernière fois à papa :

— Vous le direz à votre conjointe, n'est-ce pas ? J'aimerais la rencontrer. Et pourquoi pas dès cette semaine ?

— Promis, dit mon père. Je l'aviserai.

« C'est pas vrai ! » me dis-je en moi-même avant de remarquer le visage de Fabrice devant moi.

— Salut, Tristan. T'as pas l'air content de me voir.

— Désolé, Fabrice. Je pensais à autre chose. Oui, bien sûr que je suis content. Voici mon père.

Les adultes se présentent entre eux. J'en profite pour m'approcher d'Anoushka. Elle est vêtue en habit de jockey, ce qui lui va à ravir. Elle a treize ans, comme moi, puisque Fabrice est un an plus vieux que nous – mais au même niveau scolaire. Elle porte casaque et casquette, et distille autour d'elle une odeur... animale.

— Tu fais du cheval ? que je lui demande.

Elle prend un moment à répondre, se demandant sans doute s'il vaut la peine de répliquer à un gars de mon genre, c'est-à-dire un *nerd* en maths et en sciences qui, comble de la honte, reçoit des félicitations du directeur de l'école.

— Je monte, oui, dit-elle enfin. Je viens de passer une journée merveilleuse avec Capitaine Meaulnes.

Elle tend vers moi son ravissant nez rousselé et je peux noter qu'il m'arrive à la hauteur du front. Elle précise :

— C'est le nom de mon cheval. Il est absolument ma-gni-fi-que.

— Le nom ou le cheval ? que je réplique en rigolant.

À l'expression qu'elle me renvoie, je comprends que j'ai gâché l'une des rares chances qu'il m'est donnée de tenter de la séduire – je n'ai jamais l'occasion de lui parler sans que nous soyons entourés de ses nombreuses camarades. Je m'efforce aussitôt de me reprendre :

— Ouais, ça doit être vraiment formidable le cheval, le galop, le... la poussière...

Mais déjà, elle s'est détournée de moi pour se rapprocher de ses parents en discussion avec monsieur Urge.

Raté.

3

— NOUS AVONS L'INTENTION D'ACHETER CETTE
MAISON À VENDRE, VOUS SAVEZ, CELLE
QUI EST RETIRÉE SUR LA FALAISE, NON
LOIN DE LA GRANDE TOUR DE COMMUNICATIONS.

La rencontre parents-enseignants étant terminée, nous sommes sur le point de rentrer chacun chez nous. La famille Marquis en compagnie de mon père et moi, nous nous attardons dans le stationnement près des voitures. Comme c'est le cas en automne, il n'est pas si tard, mais le soleil rase déjà la tête des haies de cèdres.

— La maison sur la falaise ? répète papa. Celle des Turgeon-Hébert ?

— Celle-là, oui, se réjouit madame Diane. Le terrain est immense et nous pourrons bâtir une petite écurie, faire venir nos chevaux...

— Elle est hantée, cette bâtisse, grogne Anoushka, les bras croisés, le regard vers le sol. Je ne veux pas rester au milieu des fantômes.

— Ne sois pas ridicule, Nanouche, réplique sa mère en utilisant un sobriquet curieux. Il n'y a que les enfants qui ont peur des revenants. Et depuis le temps que tu cherches à nous convaincre de ta maturité, prouve-la-nous en cessant de croire à ces sornettes.

— J'ignorais que cette maison était à vendre, fait mon père. Avec cette histoire de... de...

Il n'ose pas prononcer « meurtre, suicide », sans doute pour éviter de donner des munitions à Anoushka qui n'apprécie pas le choix de ses parents.

— Cette histoire de meurtre suivi d'un suicide, complète Pierre Marquis qui, lui, ne semble pas se soucier des inquiétudes de sa fille. Oui, la demeure vient tout juste d'être proposée aux courtiers en immeubles. Comme il n'y a pas de succession, que la Caisse Populaire Desjardins a récupéré le bâtiment pour le solde de l'hypothèque, le prix est très intéressant. Je m'attends à ce qu'on accepte mon offre parce que, justement à cause de cette anecdote macabre, les acheteurs ne se bousculent pas au portillon. Ce serait une sacrée bonne affaire.

Papa fronce les sourcils en bafouillant :

— Mais la police... je veux dire... il paraît qu'il y a encore tout là-dedans : les meubles, la literie, les rideaux, les tableaux au mur...

— C'est pourquoi, si on approuve notre proposition, nous ne prendrons possession de la propriété qu'au printemps. Le temps que la Caisse Populaire fasse le nécessaire pour vider les lieux, tout repeindre et retaper.

— Je ne veux pas qu'on aille habiter dans une maison hantée, insiste Anoushka d'une voix boudeuse, le nez toujours dirigé vers le sol.

Fabrice fixe sa sœur avec un regard inquiet. On dirait bien qu'il se laisse convaincre par ces bêtises. Cela m'attriste un peu, car même si ce grand costaud n'est pas très futé, je le trouve sympathique. Je le considère déjà comme mon ami.

Les Turgeon-Hébert de la maison en question, c'était un couple d'âge moyen sans enfants qui vivaient dans notre ville depuis... j'ignore depuis combien de temps. Avant ma naissance, en tout cas. Je sais seulement qu'ils n'étaient pas originaires d'ici.

Quand on parle d'eux, il y a toujours quelqu'un pour préciser ce détail. Pour ne pas que toute la région soit associée à ce qui s'est passé. Parce que, c'est quand même horrible.

Un jour, l'homme a étranglé sa femme avant d'aller se pendre avec une cravate à la tringle d'un placard.

— Ces gens-là n'étaient pas d'ici, indique papa aux parents Marquis.

Qu'est-ce que je vous disais ?

— On ne sait pas trop d'où ils venaient, ajoute-t-il. Ils ne se mêlaient pas beaucoup à la communauté.

— Et c'est pour ça qu'on affirme que leurs fantômes restent dans la maison, insiste Anoushka, parce qu'ils n'ont pas d'autre endroit où aller.

Heureusement qu'elle est jolie, la sœur de Fabrice, parce qu'elle finirait par m'ennuyer avec ses niaiseries. C'est bizarre, une fille, quand même. J'ai l'impression qu'elles sont plus portées que les garçons à croire aux revenants, en l'astrologie, à la numérologie, à tous ces enfantillages irrationnels.

Je présume que, nous, les garçons, nous sommes encore plus bizarres à rechercher autant leur compagnie.

— C'est le livreur de journaux qui a sonné l'alerte, précise papa. C'est un monsieur à sa retraite qui distribue les quotidiens dans ce coin-là. En onze ans, c'était la première fois qu'il voyait ses livraisons s'accumuler à la porte du logis.

Comme Anoushka se déplace à l'écart pour bouder, j'abandonne mon père, Fabrice et ses parents pour m'approcher d'elle. C'est plus fort que moi. Ça ne m'enchante pas, mais je dois reconnaître que, comme tous les garçons, comme tout mammifère mâle, je suis également soumis à l'appel des hormones. Donc, même si je me fous éperdument de son canasson, à Anoushka, je lui propose :

— Tu sais, ça me plairait bien que tu me montres ton cheval un de ces quatre.

Elle soulève un sourcil suspicieux en me toisant. Elle demande :

— Pourquoi ?

— Eh bien, pour... je ne sais pas, moi... pour le voir.

— Tu ne serais pas en train de me « cruiser », toi, j'espère ?

Je suis si surpris par sa question que je reste muet pendant qu'elle me détaille lentement, le nez plissé, des pieds à la tête. D'un ton qui s'apparente parfaitement à son expression, elle poursuit :

— Parce que, je ne sais pas si tu l'as remarqué, mais tu es... tu as été adopté.

Elle veut dire « tu es noir », évidemment. Je fais comme si je ne commençais pas à comprendre et demande :

— C'est quoi, le rapport ?

— Franchement, Tristan Berthiaume, imagines-tu une seconde que je sortirais avec toi ?

— Bien sûr. Bon, je ne suis peut-être pas le plus beau garçon de l'école, mais à passer un moment avec moi, tu verrais comme je suis gentil et intelligent et prévenant et...

— Ne sois pas stupide, me coupe-t-elle avec un mouvement agacé de la main. Toi avec moi, franchement ! C'est comme si tu cherchais à accoupler une jument de race avec un petit âne noir.

À l'école, le lundi suivant, pendant la pause de midi, puisqu'il fait encore un temps superbe, je choisis d'aller manger mon repas à l'extérieur. Ma boîte à lunch à la main, je me rends près d'un grand chêne qui marque la limite entre le terrain de soccer et le stationnement des employés. Les autres étudiants, en général, préfèrent le parc situé sur le côté opposé des bâtiments, surtout que le trottoir menant aux commerces des rues voisines passe par là. Nombreux sont ceux qui délaissent les cuisines de l'école pour aller se goinfrer dans les haltes-malbouffe du centre commercial. Ils sont donc peu nombreux à se tenir de ce bord-ci, à part un trio d'élèves de cinquième secondaire qui s'échangent un ballon près de la ligne des buts, un quatuor du même âge qui discute un peu plus loin, et trois ou quatre groupes de filles de divers niveaux qui se promènent çà et là.

Je suis encore à bonne distance du chêne lorsque je repère la silhouette facilement reconnaissable de Fabrice. Il est assis sur l'herbe, adossé au tronc de l'arbre. En m'approchant, je lance :

— Tu es venu manger ici, toi aussi ?

— Salut, Tristan ! répond-il après avoir avalé une bouchée de sandwich. Ouais, quand il fait beau, j'aime mieux passer mon midi dehors qu'à la cafétéria...

Il laisse sa phrase en suspens, inachevée comme s'il allait ajouter « où je me fais tout le temps écœurer », mais il ne précise rien. Je tiens quand même le détail pour acquis.

— Je peux me joindre à toi ? que je demande.

Mais je n'attends pas sa réponse avant de m'asseoir à côté de lui, ma boîte à lunch sur les cuisses. Fabrice croque de nouveau dans son sandwich puis, la bouche pleine, dit :

— J'aime bien ce chêne. Il m'apaise. Il me protège.

Je hausse les épaules en défaisant l'emballage de la pointe de pizza froide que je me suis rapidement préparée avant de partir.

— Ne sois pas con. Un arbre, ça se fout complètement de toi. Ce n'est qu'un assemblage de tissus ligneux qui puise son eau et ses nutriments à l'aide de pompes naturelles aux racines. Ça n'a ni cerveau ni conscience.

Il me regarde fixement tandis que je m'attaque à ma pointe de pizza. Il dit :

— Mais je voudrais y croire… Que l'arbre se soucie de moi...

— C'est parce que tu en ressens le besoin. Tu manques de confiance en toi. Comme ceux qui croient en Dieu ou aux anges gardiens ou... ou à Raël.

Un moment, nous mangeons en silence, puis Fabrice, entre un second sandwich et une pomme, déclare :

— J'aimerais ça être intelligent comme toi. Tout savoir. Tout comprendre.

— Pour ce que ça me rapporte. Et puis, je ne comprends pas vraiment tout.

— Pourtant, tu donnes l'impression de n'être jamais pris de court.

— C'est seulement une impression.

— Quelle chose tu ne saisis pas, par exemple ?

— Les filles.

— Ah ! ça, les filles, j'avoue que c'est compliqué. Tu as une sœur, toi aussi ?

— Non.

— Tu es chanceux. La mienne est d'un emmerdement !

— Peut-être, mais elle est foutrement jolie.

— Moi, je la trouve plutôt... ordinaire.

— C'est parce que c'est ta sœur. Mais crois-moi, c'est un sacré beau brin de fille. Je sortirais bien avec si... si j'étais séduisant et athlétique et...

J'ai failli dire « blanc », mais je me retiens. Inutile d'en remettre.

— Tu sortirais avec ma sœur ? s'étonne Fabrice en me regardant comme si je venais de proférer la plus grande bêtise depuis l'invention du *Gangnam Style*. Elle est nulle ! Archinulle !

— Je sais. Cette attirance reste mystérieuse pour moi aussi. Tu vois que je ne comprends pas tout.

Il rit sans entrouvrir les lèvres, en couinant à chaque respiration. Il finit par admettre :

— Tu es mon seul ami, Tristan.

— C'est parce que tu es nouveau, ici. Tu t'en feras plein, des amis. Tu es un bon gars.

— Je ne pense pas. Les autres s'en foutent que je sois bon. Je suis gros.

Je bois une gorgée de jus en le regardant. Il chiffonne le papier d'emballage qui contenait son sandwich pour le déposer dans sa boîte à lunch en attendant de le jeter plus tard aux ordures. J'avale et riposte :

— Je ne te rejette pas, moi.

Il continue à fixer le papier en répliquant :

— C'est parce que tu n'as pas d'autre ami, toi non plus. Tu es un bollé. Tu es un rejet.

Il n'est pas si niais, le gros Fabrice. Il m'émeut même quand il précise :

— Et les rejets se rassemblent pour ne pas être seuls.

Je continue de manger un moment en silence, ne sachant trop quoi objecter. Fabrice finit par ajouter :

— Je ne peux rien t'apporter en échange de ton amitié tandis que toi, tu peux m'enseigner plein de choses, tu peux m'aider dans mes devoirs, tu peux...

— L'amitié n'est pas un échange de services, Fabrice. C'est seulement se sentir bien en compagnie de quelqu'un, partager de bons moments ensemble, et compter sur l'autre dans les situations difficiles.

— Pour les situations difficiles, jusqu'à présent, c'est encore moi qui ai profité de ta solidarité. Celui qui nous a tirés des griffes des *Quatre épais*, c'est toi. Moi, malgré mon gabarit, je n'ai même pas eu la force de nous défendre.

— Je ne parle pas de ce genre de situations difficiles. Ça peut être quand on est malade ou quand on est...

— Intelligent comme tu l'es, un jour tu pourras être médecin, coupe-t-il. Ou mathématicien, astronome, astrophysicien, chirurgien... Moi, à part lutteur sumo, je ne vois pas.

Je ris, car je crois qu'il me fait une blague. Mais il reste très sérieux, les yeux dans le vague. Je vais lui demander s'il envisage cette carrière pour de vrai quand il précise :

— J'aurais dû naître au Japon. Là, au moins, ils respectent les gros.

Je viens d'insérer trois raisins dans ma bouche. Avant de les croquer, je les place entre ma langue et une joue et je dis :

— Eh bien, moi, j'aurais préféré naître dans une écurie. Comme ça, je pourrais être un cheval.

4

L'ÉTÉ INDIEN S'ESSOUFFLE. AUJOURD'HUI, ENTRE LES COURS, LES ÉTUDIANTS SONT MOINS NOMBREUX À PERDRE LEUR TEMPS À L'EXTÉRIEUR. La plupart restent près de leur casier. Moi, je me suis assis sur l'un des multiples bancs de bois qui divisent la salle afin de lire les dernières pages d'un roman dont il faut faire un résumé en français. Comme d'habitude, dans cette matière, je suis en retard sur les autres élèves qui ont à peu près tous remis leur travail.

— Salut, le bamboula !

Je ne lève pas les yeux sur Michel Voyer. Rien à ficher de celui-là !

— C'est à toi que je parle, le bamboula. Tu ne reconnais plus ton nom ?

Je quitte mon bouquin, non pas pour regarder Voyer et ses trois mouches à marde, mais pour constater que Sarah Marcoux et ses inséparables nous observent à la dérobée de leur casier voisin. Elles rigolent en portant les doigts sur leurs lèvres. Les *Quatre épais* doivent se sentir drôlement sûrs d'eux pour prendre le risque que je les ridiculise devant elles.

— J'ai un défi pour toi, le bamboula, lance Voyer d'une voix assez forte pour que les filles l'entendent par-dessus le brouhaha de la salle. Il paraît que tu ne crois pas ni en Dieu, ni aux anges, ni en la vie après la mort ?

— Et toi ? Tu crois au rince-bouche ? que je demande en refermant mon livre sur le signet que je viens d'insérer entre les pages.

— Rapport ? s'étonne Antoine qui est peut-être le moins allumé des quatre.

Robin et Marco font une moue pour signifier qu'ils ne comprennent pas davantage, mais Sarah Marcoux et ses copines éclatent de rire – un peu fort, sans doute pour accentuer l'effet de ma boutade. Je les en remercie silencieusement.

— Je suppose donc que tu ne crois pas aux fantômes ? insiste Voyer en feignant ne pas avoir entendu le fou rire des filles.

— Pas une miette.

— Alors, je te défie de dormir une nuit entière dans la maison des Turgeon-Hébert.

— C'est quoi, cette gageure pour débiles ?

— Tu te défiles ? Tu as peur d'avoir peur ?

— Contrairement à toi et à ta bande d'arriérés, Voyer, j'ai passé l'âge des enfantillages.

— Trop simple de t'en sortir comme ça, le bamboula. Tu te penses supérieur à tout le monde avec ton cerveau d'Einstein mal cloné alors, pour une fois, on t'offre la possibilité de prouver que les profs de sciences ont raison de te considérer comme un génie.

— Je n'ai rien à te justifier, Voyer.

— Si tu ne crois pas aux fantômes, ce sera facile pour toi, non ? insiste-t-il sans tenir compte de mon intervention. En tout cas, nous, nous allons le faire.

— Si vous avez du temps pour niaiser, tant mieux pour vous autres. Cependant, je vous signale que c'est une propriété privée et que vous devrez y entrer par effraction.

— On ne brisera rien. Robin a un double des clés parce que son père, pendant les vacances, il y a deux ans, a fait de la réno chez ces gens-là. Il a oublié de remettre le trousseau et personne ne s'en est soucié. Robin l'a récupéré.

— Donc, ce ne sera pas par infraction, siffle Robin en s'avançant vers moi pour mieux me montrer son expression méprisante.

— Ce sera encore par « infraction », moron, mais plus par « effraction ». Je suis poche en français, mais je fais la distinction entre ces deux mots. Et « infraction », ben, ça signifie que cette entreprise est illégale.

— Ce n'est pas si grave, émet soudain la voix de Sarah Marcoux qui s'est approchée de nous sans que je l'aie remarquée.

Avec ses amies, elle semble trouver de l'intérêt au défi lancé par les *Quatre épais*. Les filles, je l'ai déjà dit, sont toujours attirées par le surnaturel, le merveilleux... l'irrationnel.

— Ce n'est pas comme si vous alliez faire du vandalisme, plaide-t-elle en faveur de Voyer – qui ne manque pas d'afficher une mine ravie. Si c'est seulement pour y dormir et prouver que vous n'avez pas peur...

— Je répète que ce sont des enfantillages. Je ne crois pas aux fantômes, ce défi ne représente rien. J'ai autre chose à...

— Anoushka ! Hé, Anoushka ! lance tout à coup l'une des copines de Sarah. Les gars parlent d'aller à la chasse aux revenants dans la maison que tes parents veulent acheter !

À ma grande stupéfaction, je vois surgir la sœur de Fabrice, son cartable à la main. Même sous l'éclairage blafard des néons de la salle des casiers, elle me paraît rayonner comme un astre.

— Qu'est-ce que vous dites ?

Antoine, qui cherche à se donner de l'importance, devance son chef de bande pour expliquer le défi que celui-ci vient de me lancer. Anoushka me demande, les yeux arrondis tant de surprise que d'admiration :

— Tu vas aller débusquer le fantôme ?

Je soupire bruyamment en me levant du banc. Je commence à trouver qu'il y a un peu trop de monde autour de moi.

— Je ne crois pas aux fantômes.

— Pourtant, il y a plusieurs personnes qui affirment que cette maison est vraiment hantée, dément la jolie jockey.

— Ah oui ? Quelles personnes ? que je demande. Les mêmes qui suivent Raël les fins de semaine dans sa soucoupe volante ?

— Ne te moque pas. Les ex-voisins des Turgeon-Hébert ont vu...

— Les habitations les plus près sont à cinq cents mètres de l'autre côté de la falaise, que je fais remarquer, et, à cause de la courbe, il ne leur est pas possible d'apercevoir la maison de chez eux.

— N'empêche que des promeneurs jurent avoir vu des lueurs bouger aux fenêtres. Le facteur assure qu'une fois il a même entendu des hurlements.

— Et il n'a pas songé à en aviser la police ?

— Il avait trop peur que les revenants aillent chez lui se venger d'avoir perturbé leur repos.

— Vous êtes tous franchement ridicules. Désolé, Anoushka. Inutile de chercher à me convaincre. Je le redis : je ne crois pas aux fantômes.

— Justement ! s'obstine Sarah Marcoux. Si tu passes la nuit là-bas et que tu ne constates rien, ça prouvera que tu as raison. À l'inverse...

— À l'inverse... répète Anoushka, les yeux fixés sur une scène invisible, les lèvres tremblotantes, serrant son cartable à deux mains sur sa poitrine. À l'inverse...

— J'accepte votre défi ! clame une voix derrière nous.

Dans un beau synchronisme, nous nous tournons tous vers le passage qui donne accès à notre rangée de casiers. Fabrice y apparaît, sac en bandoulière, plus grand que de coutume parce qu'il a redressé les épaules, cambré le dos, et nous domine, non seulement par la taille, mais aussi par la farouche détermination qu'on lit dans son regard.

— Je suis peut-être gros et stupide, dit-il en s'avançant vers nous, mais je n'ai jamais entendu parler de quelqu'un mordu par un revenant. Alors, spectre ou pas, je suis prêt à passer la nuit dans la maison hantée.

— Wow ! Bravo, Fabrice ! s'écrie Sarah Marcoux avec une voix un peu trop enthousiaste pour être honnête. Voilà une preuve de courage.

Ou de disposition à devenir le dindon de la farce pour la bande des *Quatre épais*.

— Je demande à être accompagné de Tristan, exige Fabrice, un tantinet moins fanfaron, déjà. Tu veux bien, Tristan ? Puisque tu as dit que les amis devaient se serrer les coudes.

Je réplique rapidement.

— Pas question ! Tu joues le jeu des *Quat...* des *Trois mousquetaires*. Ces enfantillages ne sont pas dignes de notre intelligence.

— Tu as peur, alors ? insinue Sarah Marcoux.

— Non, je n'ai...

Les *Quatre épais* me renvoient des sourires narquois, se réjouissant déjà de leur victoire. Fabrice serre les dents, songeant qu'il devra peut-être affronter seul ses présomptions affirmant que les spectres ne mordent personne. Cependant, ce qui me contrarie vraiment – oui, vraiment –, c'est l'expression de dédain mêlée de déception que me lance Anoushka.

— Sapristoche ! Qu'est-ce que je fais dans cette école maternelle ?

Ce n'est pas que je sois agacé par mon incapacité à convaincre les autres de leur crédulité puérile, c'est plutôt que je n'arrive pas à saisir ce qui continue de m'attirer chez Anoushka Marquis !

Voilà qui me paraît encore plus irrationnel que de croire aux fantômes !

5

À LA FIN DE CETTE JOURNÉE D'ÉCOLE, TANDIS QUE NOUS ATTENDONS L'AUTOBUS QUI EST ENCORE EN RETARD, MICHEL VOYER ET SES TROIS COQUERELLES PRÉCISENT LES DÉTAILS DU DÉFI. Je suis en compagnie de Fabrice, d'Anoushka, de Sarah Marcoux et de sa suite habituelle.

— Avec une caméra, on filme les « performances » de chacun. Ça va prouver à tout le monde que personne ne triche. Il est permis d'être deux à dormir ensemble dans la maison, mais pas plus. À trois, c'est trop simple d'avoir du courage. Vendredi soir, ce sera à Antoine et à moi de commencer. Vous ne direz pas qu'on ne vous facilite pas les choses. Ensuite, samedi soir, ce sera à Fabrice et au bamb... et à Tristan. Les filles, Sarah et Anoushka, étudieront le film par la suite, minute par minute, pour s'assurer que chacun de nous a bien relevé le défi.

— On fera croire aux parents qu'on va dormir chez des amis, explique Robin, sinon ils vont nous foutre notre projet en l'air, ceux-là.

— Et ça prouvera quoi, une fois le petit matin venu ? que je demande. Que nous pouvons survivre à la poussière ?

— Que vous êtes aussi braves que nous, postillonne Antoine dans ma direction. Et toi, surtout, le bamboula, que tu n'es pas seulement une grande gueule.

— Faudrait peut-être faire un peu de repérage avant, non ? propose Sarah. Genre, aller tous ensemble dans la maison...

— De jour, hein ! De jour ! précise Anoushka.

— De jour, oui, confirme Sarah, pour déterminer dans quelle pièce vous dormirez, savoir où poser la caméra, etcétéra.

— Bonne idée, affirme Voyer. Jeudi après-midi, on a tous congé, pas vrai ?

Je me rappelle que les profs ont mentionné quelque chose à ce propos, mais je ne me souviens plus pourquoi. Qu'importe. Le chef des *Trois mousquetaires* poursuit :

— Alors, jeudi après-midi, ce sera parfait. On se rejoint là-bas.

Mercredi matin, comme je n'ai pas de cours à la première période, c'est le moment que choisit mon père pour me demander d'aller présenter Annie à monsieur Lemaire, le directeur de l'école. Je n'aime pas ça du tout, mais ça fait plaisir à papa. L'important, c'est de ne pas faire de vagues. Et puis, si je ne veux pas trop être considéré comme un phénomène auprès du personnel de l'école en général et de mes profs en particulier, si je ne veux pas non plus me faire servir des moues de pitié chaque fois qu'on apprend que ma mère est décédée, autant montrer que j'ai une vie familiale normale.

Pour la circonstance, Annie est vêtue d'un tailleur sobre, d'une couleur entre le chocolat et le bourgogne. Ses longs cheveux bruns, peignés avec art, encadrent son visage ravissant et font ressortir ses yeux bleus. Elle a juste un peu trop de maquillage à mon goût, mais bon, ça lui va bien.

De plus, elle s'est aspergée du même parfum que celui de maman, une senteur suave de jasmin qui embaume l'air à chacun de ses mouvements. Aussi, auprès d'elle, j'ai un peu l'impression de retrouver ma vraie mère.

Dans l'école, je croise quelques camarades qui ne se gênent pas pour fixer Annie avec curiosité. Marco, entre autres, l'un des *Quatre épais*. Je le vois même pincer les lèvres comme on s'apprête à siffler. Bien sûr, il s'abstient. Seul, sans la présence de ses trois complices, il est beaucoup moins courageux. Son attitude provoque en moi un sentiment de malaise mêlé de fierté. C'est toujours agréable de constater que les autres trouvent votre mère – ou votre belle-mère – jolie.

— Ah ! Voici donc la charmante conjointe de monsieur Jean-Michel Berthiaume ! s'exclame monsieur Lemaire en nous accueillant dans son bureau. Je suis ravi de vous rencontrer.

À la façon dont il la détaille, je vois bien que, comme tous les hommes, il est ébloui par la beauté d'Annie.

— On n'a pas souvent l'occasion de vous croiser lors des entretiens parents-enseignants, gronde faussement le directeur après nous avoir invités à nous asseoir sur les fauteuils placés devant son bureau.

— C'est que je suis très occupée, réplique Annie de sa voix un peu grave pour une si jolie femme. De plus, les notes de Tristan montrent qu'il est bien encadré dans votre établissement.

Elle laisse Lemaire absorber le compliment puis poursuit :

— En compagnie de Jean-Michel, j'analyse ses progrès scolaires de près. Soyez assuré que je fais tout mon possible pour que, non seulement il conserve ses résultats parfaits en maths et en sciences, mais qu'il s'améliore également en français et dans les autres matières où il est plus faible.

— Je suis content de vous l'entendre dire, se réjouit le directeur, car, ici, nous apprécions tous Tristan. Cela nous réconforte donc de constater que, même s'il n'a plus sa mère... qu'il est... que vous...

Et voilà monsieur Lemaire rouge comme une tomate, balbutiant comme un novice, emberlificoté dans sa propre bévue, cherchant à se reprendre sans savoir comment ne pas m'affecter en ramenant le décès de ma mère dans la conversation.

Sapristoche, que les gens aiment compliquer les choses ! Bien sûr que j'ai du chagrin d'avoir perdu maman, bien sûr que je passe encore des nuits à la pleurer, mais la vie continue comme m'a expliqué papa. Je dois apprendre à vivre avec son absence. Alors, que ceux qui m'entourent cessent de tout complexifier en s'efforçant de rendre le sujet flou.

Annie m'enserre les épaules de son long bras et pose un baiser sur ma tête. Je respire plus fort son parfum de jasmin et ça m'apaise même si je n'en ressens pas vraiment le besoin. Cependant, je vois bien que le cerveau du directeur continue de fonctionner à plein régime. Il se demande comment reprendre le fil de la conversation. Bêtement, il enchaîne :

— En tout cas, madame Annie, vous me rappelez... je ne sais plus qui... Votre sourire... il ressemble à celui de... De qui, bon sang ? On a déjà dû vous le dire, c'est certain. Une actrice américaine, peut-être...

Il fait claquer ses doigts.

— Sandra Bullock ! Oui ! Non ?

— Peut-être, approuve Annie avec un petit rire gêné. Sandra Bullock, pourquoi pas.

— Non. Ce n'est pas Sandra Bullock. En tout cas, vous êtes très jolie... Oh ! Excusez-moi. J'espère que vous ne me prêtez pas de mauvaises intentions. Je vous fais ce compliment en tout bien tout honneur.

Annie dissimule son rire un peu trop rauque en s'esclaffant, les lèvres bien serrées, une main sur la bouche. Elle finit par répliquer :

— Ne vous en faites pas, monsieur Lemaire. Comme toutes les femmes, je suis sensible aux mots gentils lorsqu'ils sont lancés avec une telle spontanéité. Je vous en remercie.

En dépit de son maquillage, la voilà aussi rouge que le directeur de l'école. Je lève les yeux au plafond en dodelinant de la tête. Il ne manquerait plus que ces deux-là se mettent à se chanter la pomme au mépris du fait qu'Annie soit présentée comme la conjointe de mon père.

Et maintenant que j'y pense, le directeur de l'école, si je le détaille un peu, je remarque quelques points inquiétants : il est dans la quarantaine, porte une chevelure abondante quoiqu'un peu grisonnante, il a des traits réguliers, de grands yeux miellés, un nez petit... Il peut être considéré comme assez bel homme, je le crois. Je me demande s'il est...

— Vous êtes marié, monsieur Lemaire ? dis-je.

Et là, de rouge, le directeur devient écarlate au point que je m'alarme en songeant que, avec une pression artérielle trop forte, ses narines pourraient se mettre à cracher du sang et ses globes oculaires sortir de leur orbite.

La seconde d'après, je retiens mon rire. Manquerait plus que sa tête explose.

6

Jeudi après-midi, le temps est humide et frais. Le ciel ressemble à un plafond de cendres lourdes, comme un cendrier retourné. La maison des Turgeon-Hébert projette contre cet écran triste la forme démodée de ses corniches, de son toit plat et de sa façade en fausses briques. Il y a deux étages percés de deux fenêtres sur trois des quatre faces de la bâtisse. Une galerie couverte s'étend sur la largeur de la façade. En bas de l'escalier, pareil à une langue de béton, un trottoir mène au stationnement de gravier.

— C'est quoi, ce truc, sur le toit ? demande Fabrice en murmurant à demi comme s'il craignait d'être entendu par les voisins à un demi-kilomètre d'ici.

En compagnie d'Anoushka et des *Quatre épais*, j'examine la forme arrondie d'une structure qui se découpe au sommet du bâtiment. C'est trop petit pour être une dépendance comme telle, une pièce annexe. Peut-être est-ce une sorte de cabanon, ou plus sûrement un abri pour climatiseur ou thermopompe ou je ne sais trop.

— Ça doit être pour protéger une antenne parabolique de la neige, suppose Michel Voyer.

Comme je n'ai pas de meilleure explication, je ne dis rien.

Nous rejoignons Sarah Marcoux et ses deux plus proches amies, Caroline et Sonia, qui nous attendent déjà dans la cour arrière, près d'un jardin envahi de mauvaises herbes. Nous laissons nos vélos près des leurs, le long d'une balançoire, couverte de toiles d'araignées et d'insectes prisonniers. Celle-ci grince en s'agitant sous la brise. Un mur de cèdres non entretenus masque la rue voisine.

— Vous êtes en retard, les gars, se plaint Sarah – sans tenir compte d'Anoushka.

— On gèle, cibole ! jure Sonia en frottant énergiquement ses bras à deux mains.

— T'avais qu'à t'habiller ! lui réplique Marco avec, je dois l'avouer, un certain bon sens, puisque la fille ne porte qu'un mince gilet de coton sur un t-shirt.

— C'est cette maudite saison, aussi, ronchonne Sonia ; un jour, il fait beau, le lendemain, on...

— Vous venez avec nous ? l'interrompt Voyer. Il faut entrer par la porte en arrière, car la clé de Robin correspond à cette serrure.

— Ah ! non, pas moi ! réagit aussitôt Anoushka. Je vous attends ici, près de la balançoire.

— Ni moi, appuie Sarah en levant sa main devant elle. Et puis, il ne fait pas si froid.

— C'est vrai, approuve Sonia qui cesse de frotter ses bras. On dirait que ça se réchauffe.

Ce que confirment les hochements de tête affirmatifs de Caroline.

Je note que Fabrice a inspiré profondément et qu'il retient son souffle comme s'il s'apprêtait à plonger dans une eau glaciale. Robin, Marco et Antoine échangent des coups d'œil nerveux. Même Michel Voyer ne me paraît plus si empressé d'inviter tout le monde à le suivre dans la maison.

Décidément, comme d'habitude, il faudra que je sois le plus sensé de tous.

— Bon, on n'attendra quand même pas que l'averse se mette à tomber, que je grogne. Si les filles veulent se faire mouiller, c'est leur problème. On y va !

La serrure obéit dès le premier tour de clé de Robin. Je suis vaguement étonné, car j'anticipais une certaine résistance du mécanisme, sans doute à cause de l'état d'abandon : une pelle, une gratte à neige à moitié rouillée et un vieux balai, appuyés contre la fausse brique, accentuent l'effet négligé des lieux.

Robin ouvre la porte et fait semblant de devoir remettre immédiatement le trousseau dans ses poches pour s'attarder et éviter ainsi d'être le premier à entrer. Je passe devant lui. Voyer, pour ne pas être en reste, s'empresse de m'emboîter le pas. Cependant, il prend bien garde de ne pas me dépasser.

Dès que je suis à l'intérieur, je sens une odeur de renfermé, de poussière et de... je ne sais pas quoi. De ranci ? Peut-être que de la nourriture a pourri dans les armoires. Ou que la maison sert d'abri à une famille de bestioles : écureuils, rats, marmottes, ratons laveurs, quoi encore.

— Ça pue, confirme Voyer à côté de moi.

— Normal. T'as déjà vu un fantôme prendre sa douche, toi ?

Le chef des *Quatre épais* rit jaune tandis que j'entends Fabrice retenir à demi un hoquet. Il est comme un chrétien dans une église ou un musulman dans une mosquée : il craint qu'on manque de respect à l'esprit régnant sur les lieux.

La pièce où nous pénétrons est la cuisine. Cafetière, huche à pain, pots d'épices et bouilloire trônent encore à leur place respective. Il y a même deux ou trois assiettes croûteuses et des ustensiles dans l'évier. L'odeur vient sans doute de là, mais pas question que j'aille m'en assurer en allant renifler de plus près.

Le prélart décoré de formes géométriques craque sous le poids des six visiteurs que nous sommes. Il y a probablement longtemps que le bois n'a pas été autant sollicité. Nous contournons une table au vernis terni, entourée de quatre chaises coussinées. Nous atteignons le salon. Sofa vieillot, fauteuils usés et ancienne télé, le tout couvert de poussière. Le couple Turgeon-Hébert ne baignait pas dans le luxe.

Les grandes fenêtres qui donnent sur le stationnement de gravier laissent entrer la lumière filtrée par des voilages. Les rideaux sont attachés au mur par une embrasse.

— C'est là que la femme a été tuée, chuchote Marco en pointant un index tremblotant devant une étagère servant de bibliothèque.

Je relève les titres de quelques livres à succès aux sujets mièvres, des romans d'amour, des polars stupides... Aucune revue, aucun traité de sciences, évidemment.

— Mais non, contredit Antoine. À la télé, ils ont affirmé qu'il l'a étranglée dans la chambre à coucher.

— Ce n'est pas dans la salle de bain ? s'étonne Robin.

— Elle est là, la salle de bain, justement, annonce Fabrice d'une voix incertaine.

Il se tient devant une porte ouverte sans oser entrer. Je jette un œil rapide : toilette, armoire à pharmacie, corbeille contenant encore de vieux mouchoirs en papier, miroir, bain, pomme de douche qui dégoutte... Un rideau en plastique mat est suspendu à une tringle par des anneaux colorés.

Je me désintéresse des cabinets pour explorer plus loin. Il y a une salle vide sans aucun meuble qui servait peut-être de pièce de débarras. Le sol est recouvert d'un tapis de teinte sombre, plutôt épais, qui me paraît très bien nous convenir.

— Ce pourrait être la chambre où passer la nuit.

Voyer approuve en hochant lentement le menton de haut en bas, sans dire un mot. Du doigt, je désigne l'angle le plus éloigné de la porte. J'ajoute :

— Là, on placera la caméra sur trépied qui filmera notre sommeil...

— Au lieu de filmer, corrige Marco, on ferait mieux de prendre des photographies à intervalles réguliers, genre aux cinq secondes. Ensuite, les prises de vue mises bout à bout généreront une animation en accéléré moins ennuyeuse à regarder.

— Si tu préfères, que je réplique en haussant les épaules.

— Hey ! C'est verrouillé, ici.

Michel Voyer, Fabrice, Marco et moi, nous nous tournons vers Antoine. Ce dernier se démène avec la poignée d'une porte plutôt basse donnant sous l'escalier. Un placard, sans doute.

— C'est peut-être là que le mari s'est pendu avec sa cravate, avance Fabrice d'une voix peu assurée.

Antoine lâche aussitôt le bec-de-cane qu'il malmenait. Bien sûr, c'est stupide de penser qu'on puisse se pendre dans un endroit aussi exigu, mais je ne détrompe personne. Je me rends plutôt vers la dernière pièce du rez-de-chaussée, la chambre principale.

On y trouve un grand lit avec sa couette plus ou moins en place, une commode dont l'un des tiroirs est à demi ouvert. J'y aperçois des bouts de tissu. Aux murs, des tableaux sont accrochés. Des scènes bucoliques côtoient des images de maladie et de mort. Drôle de mélange. Je remarque que, si les tableaux lugubres sont des reproductions diverses, les paysages souriants sont des originaux. Ils sont signés « Hébert ». Il me semble avoir entendu dire que la femme s'adonnait à ce loisir.

Sur le plancher de bois franc, de nombreuses traces de pas témoignent du passage des policiers lors de l'enquête. Il pleuvait peut-être ce jour-là. Je croyais qu'ils mettaient des trucs par terre pour protéger les indices éventuels. Ces enquêteurs ont dû être dépassés par les événements... ou ce sont les ambulanciers qui ont laissé ces empreintes quand ils sont venus prendre possession des cadavres. À moins que ce ne soit...

— Ça fait bizarre de songer que les deux personnes qui dormaient ici sont mortes, laisse échapper Marco.

Dans la façon bruyante dont Fabrice respire à côté de moi, je devine que la remarque le trouble profondément.

— Seigneur Jésus ! lance Robin qui vient d'ouvrir la porte du placard.

Tout d'abord, je ne remarque que les vêtements qui sont par terre, pêle-mêle. Ensuite, au-dessus de la tête de Robin, j'aperçois la tringle qui devrait les supporter. Elle n'est pas cassée, mais fortement courbée.

Personne n'a besoin de préciser le détail pour que tous comprennent que c'est là qu'on a dû retrouver le pendu.

— Allons voir le deuxième étage, suggère Michel Voyer en feignant l'indifférence, mais en s'éloignant rapidement de la chambre.

Nous empruntons l'escalier. En haut, nous abordons un couloir donnant sur trois pièces. Dans la première, nous trouvons un atelier de peintre. Une toile inachevée attend sur le chevalet. La photo d'un coucher de soleil éclairant un jardin de fleurs est épinglée sur le mur voisin. C'est tiré d'un magazine quelconque. À l'avant-plan, il y a une fillette qui saute avec une corde à danser. Il s'agit du modèle que la peintre tentait de reproduire puisque, sur la toile, un dessin au fusain retrace la silhouette des arbres et de l'enfant. Seul le ciel, avec ses couleurs chaudes, a été représenté. La mort a frappé l'artiste avant que le pinceau s'attarde aux feuillus et à la petite fille.

— Ça alors ! Venez voir !

Michel Voyer se trouve avec Antoine et Marco dans la pièce voisine. Fabrice, Robin et moi allons les rejoindre.

— Qu'est-ce que c'est que...

— De la bouffe, répond Antoine à la question incomplète de Robin. Des dizaines... Non ! Des milliers de canettes de bouffe !

— Des bines, de la soupe, du chili, des raviolis, du spaghetti, du ragoût, des fruits en cubes... énumère Michel Voyer en prenant une boîte de conserve, ici, là, puis là...

— Ils craignaient une guerre nucléaire, les Turgeon-Hébert, ou quoi ? s'étonne Robin.

— C'est bien possible, acquiesce Voyer. Mon père dit qu'il a jasé une fois avec le gars, à l'épicerie. Il parlait de terroristes arabes infiltrés partout, d'espions russes, de Chinois contrôlant l'économie pour mieux nous envahir... un vrai paranoïaque.

La dernière pièce recèle, là encore, des boîtes de conserve, mais en quantité moindre. Le reste de l'espace est plutôt occupé par des masses de bouteilles d'eau en plastique.

— Comme ça, si les Chinois avaient coupé l'approvisionnement en eau de la ville... entame Michel Voyer en ricanant.

— Les Turgeon-Hébert auraient pu continuer à prendre des bains, dis-je en exagérant à peine.

Et puis, l'utilité du gros truc sur le toit s'impose à mon esprit : bien sûr, c'est un réservoir pour récupérer l'eau de pluie. Cette famille avait tout pour vivre en autonomie plusieurs semaines, voire plusieurs mois. Je présume que, quelque part, au sous-sol peut-être, ou dans un angle aveugle sur le toit, on trouverait une génératrice, des bidons d'essence, des piles solaires, je ne sais trop. Je pourrais aller voir pour constater que j'ai très certainement raison, mais ça m'attriste.

Je pivote sur mes talons et m'en retourne vers l'escalier.

Comme ces gens devaient être malheureux ! Comme ce doit être angoissant de vivre ainsi dans la peur, tout le temps ! Le drame qui a frappé les Turgeon-Hébert relève sans surprise du cerveau dérangé de l'homme, de ses décisions sans cesse nourries par l'angoisse et le pessimisme.

Pas étonnant que la femme ait cherché à s'évader de cette atmosphère aliénante en peignant des scènes bucoliques et innocentes.

7

Vendredi après-midi, pendant le cours d'Histoire, je note à quel point les *Trois mousquetaires*, assis au fond de la classe, sont fébriles. Ils ne rient pas à tout bout de champ comme d'habitude, mais on les sent nerveux. Ils sont à la fois agités et crispés. Il n'y a pas à dire, le défi qu'ils ont à relever ce soir les tourmente pas mal.

Eh bien, tant mieux, bande d'imbéciles ! Ce genre de paris stupides où les comportements frôlent l'illégalité me met hors de moi. Surtout qu'il m'a fallu quasiment mentir à mon père pour la nuit de samedi. Je dis « quasiment », car je n'ai pas prétendu que j'allais dormir *chez* mon ami Fabrice, mais *avec* mon ami Fabrice. La nuance est importante.

N'empêche. Je m'en veux de m'être laissé embarquer dans ce défi digne d'une bande de

nuls, simplement pour... pour quoi, au fait ?
Impressionner Anoushka ? Prouver que je
ne bluffe pas en affirmant ne pas croire à la
vie après la mort ? Faire un pied-de-nez aux
Quatre épais en leur démontrant qu'ils ont eu
tort de me provoquer ?

Qu'est-ce que le risque de violer la loi va
me rapporter en fin de compte ?

Bon. Peut-être prouver à Fabrice et à
Anoushka qu'ils ne vont pas emménager dans
une maison hantée. Ouais. Déjà là, mon action
n'aura pas été tout à fait inutile.

Le haut-parleur qu'on trouve dans toutes
les classes a grésillé un moment, mais je n'ai
pas porté attention à ce qui s'est dit. Je remarque soudain plusieurs visages tournés
vers moi... dont celui du professeur.

— Eh bien, vous avez compris, monsieur
Berthiaume ? me demande-t-il tandis que je
reviens à la réalité.

— Euh... pardon ?

— Vous y allez ?

— Où ça ?

— C'est bien ce que je pensais. Avec votre
air absent, vous n'avez pas écouté ce que disait
notre directeur d'école.

— Désolé, monsieur.

— Il demande à vous voir dans son bureau
dès la fin de la période.

❁ ❁ ❁

Quand j'arrive au bureau du directeur, la secrétaire en sort avec un bloc-notes dans les mains. Elle me salue d'un petit sourire rapide avant de me laisser seul dans l'embrasure.

— Bon... jour, monsieur Lemaire.

— Ah ! Tristan ! Ferme la porte.

Je m'exécute, non sans m'inquiéter du ton un peu rude de l'homme. C'est la première fois qu'il s'adresse ainsi à moi.

Je m'approche des chaises qui attendent devant sa table de travail, puis je m'immobilise. Je suis surpris qu'il me fixe aussi intensément sans m'offrir de m'asseoir.

Se pourrait-il qu'il ait entendu parler du défi lancé par les *Quatre épais* ?

— J'ai beaucoup réfléchi, émet-il enfin en détachant chaque syllabe, et je pense que tu t'es un peu moqué de moi.

— H... hein ? Moi, monsieur Lemaire ?

— Oui, toi. Assieds-toi.

Je m'empresse de me laisser tomber sur l'une des chaises, mais sans le quitter du regard, cherchant à deviner ce à quoi il fait référence. Il reprend :

— Depuis ta dernière visite dans mon bureau, je réfléchis à ta question touchant ma vie privée, ta curiosité à propos de mon divorce – car, oui, je suis divorcé.

En fait, si je me souviens bien, ma question était plutôt : « Vous êtes marié, monsieur Lemaire ? » J'ouvre la bouche pour riposter, mais il lève une main pour me faire taire.

— Tu voulais que je te confirme que je vis bel et bien seul, mais au fond, tu t'en fous un peu. Ton indiscrétion, ça venait plutôt... c'était à la demande secrète d'Annie, hein ?

Je reste bouche bée. Il précise :

— Annie, oui, ta... *prétendue* belle-mère.

— Ma ?...

— La *supposée* conjointe de ton père.

Je sens une sueur glaciale envahir mon cou. Oh, sapristoche ! J'aurais préféré qu'il me parle de la maison des Turgeon-Hébert.

— Je dis bien : la « supposée » ! insiste-t-il, les coudes sur le meuble de chaque côté du clavier de son ordinateur, le corps penché en avant comme pour mieux m'accuser.

— Je ne... monsieur Lemaire. Il faut que vous... Je vais vous...

— J'ai tout compris, Tristan, arrête de mentir ! m'interrompt-il, l'index levé. Annie, c'est ta tante, pas vrai ?

— Euh...

— La sœur de ton père. Ce fameux sourire qu'elle a et que je croyais avoir déjà vu chez une actrice, en fait, il m'était familier parce que c'est le même que celui de ton père. Son frère.

La sueur glaciale est maintenant rendue au milieu de mon dos et je réprime un fort tremblement. Je me sens comme en pleine bouffée de fièvre lorsqu'un rhume nous colle au lit. Je suis à la fois frigorifié et brûlant, sans énergie, étourdi de migraine...

— Annie n'est pas la conjointe de ton père, avoue !

La voix du directeur est retenue, mais je devine qu'il fait des efforts pour ne pas élever le ton. Je baisse la tête, autant de honte que parce qu'elle me paraît devenue trop lourde à supporter.

— Vous avez raison, monsieur. Je vous ai menti. Mon père vous a menti. Excusez-nous.

Mes aveux le calment. Il se détend. Ses coudes quittent le bureau et il se laisse aller contre le dossier de son fauteuil. Après un long moment de silence, il prend une intonation plus douce pour demander :

— Pourquoi, Tristan ? Pourquoi me faire croire que... que tu as une nouvelle mère ?

— C'est... c'est papa, Monsieur. Il est très... perturbé depuis le décès de maman. Et je crois qu'il pense que je suis encore plus perturbé que lui. C'est que je suis athée, monsieur Lemaire. Mon père s'imagine donc que ma croyance – ou plutôt ma non-croyance – rend la mort de maman plus déprimante, plus inutile, plus difficile à accepter. Pourtant, j'admets très bien cet aspect incontournable de l'existence, vous savez. Rien n'est immuable dans l'univers, tout se modifie sans arrêt, et la vie n'est qu'une forme d'énergie qui se transforme. Je suis serein avec cette idée. La preuve est que, le soir, souvent, c'est moi qui console papa, et non l'inverse. Il se sent coupable de ne plus être en mesure de m'offrir une cellule familiale... une cellule familiale...

J'hésite, puis agite l'index et le majeur de chaque main pour illustrer des guillemets.

— ... « normale » : un père, une mère... Vous voyez ? Alors, quand les gens autour de nous insistent trop à propos du décès de maman, il... il fait en sorte qu'Annie joue son rôle de mère de remplacement.

Il y a encore un long moment de silence où la tension entre nous reste palpable. Cependant, je sens la fièvre me quitter. Lentement.

— Donc, reprend enfin le directeur, tu me le confirmes : Annie n'est pas la conjointe de ton père ?

— Non, monsieur. Mais elle est souvent à la maison, et c'est pour moi une excellente maman de rechange. Je l'aime beaucoup.

— Je n'en doute pas. Elle m'a paru très gentille. Et je présume qu'elle n'a pas... d'amoureux non plus pour se permettre un tel... un tel rôle.

— Non, monsieur. C'est une femme libre.

— Tristan...

Un tic curieux semble agiter le visage du directeur, mais je ne parviens pas bien à en identifier la cause. Je m'efforce de respirer lentement, me disant que le pire de cet entretien est passé et qu'il va bientôt me proposer de retourner en classe. Aussi, je manque de m'étouffer quand monsieur Lemaire me demande :

— Si Annie est libre, tu crois que je pourrais l'inviter au restaurant pour... une soirée romantique ?

8

Vendredi soir.
Le grand soir.
Le grand *premier* soir, plutôt. Parce que nous dormirons deux fois dans la maison prétendument hantée.

La température est de notre côté. Le temps doux est revenu. Le soleil, en s'approchant de l'horizon, se disperse en milliers de fragments derrière la haie de cèdres de la propriété des Turgeon-Hébert.

Cette fois, Sonia et Caroline ne sont pas venues. Cependant, Sarah Marcoux et Anoushka, un peu enhardies par le fait que nous, les garçons, sommes déjà des habitués des lieux, se sont risquées à nous suivre à l'intérieur.

— On vous fait visiter le deuxième étage ? leur demande Michel Voyer avec une voix dont l'assurance est artificiellement exagérée.

— Pas nécessaire, réplique Sarah Marcoux. Je me contente très bien de la cuisine, du salon et de cette pièce vide où vous allez dormir. Merci.

— Pas même la chambre principale ? s'informe le chef des *Trois mousquetaires* en feignant la surprise.

— Où le gars s'est pendu ? s'écrie Sarah. Merci bien.

— Et toi, Anoushka ? insiste-t-il.

La sœur de Fabrice hésite, regarde son frère, regarde Voyer puis, faisant un pas vers moi, répond :

— Seulement le deuxième étage et seulement si Tristan nous accompagne.

Je l'observe, surpris. Mais avant que je puisse émettre un commentaire, Michel Voyer demande :

— Et pourquoi lui ? C'est le moins costaud de tous. Si tu as besoin d'être protégée...

— Si tu étais un peu plus brillant, Voyer, réplique sèchement Anoushka, tu saurais que les muscles, ça ne vaut pas un pet face aux fantômes. J'aime mieux être accompagnée d'un gars intelligent et incrédule. Ça risque davantage d'impressionner le spectre.

Fabrice approuve en faisant une moue.

— Je suis bien d'accord avec ma sœur, confirme-t-il.

Je suis toujours bouche bée quand Anoushka glisse sa main sous mon bras.

— Tu m'emmènes, Tristan ?

C'est bien la première fois de ma vie que je me sens aussi incapable d'émettre la moindre parole. Même le directeur, en me parlant d'Annie, ne m'a pas remué à ce point. Nous en sommes au moins à la moitié de l'escalier quand je parviens enfin à dire :

— Je suis content que tu sois si... euh... si bien disposée à visiter le deuxième étage, Anoushka.

Sans me regarder, elle réplique :

— Quand mes parents auront pris possession de la maison, la chambre qui m'est destinée s'y trouvera. Autant aller voir tout de suite de quoi elle a l'air.

Avant de monter, d'un commutateur situé en bas de l'escalier, nous avons allumé le plafonnier du couloir en haut. La lumière du couchant s'immisce encore à l'intérieur par les fenêtres, mais les ombres sont trop obscures. Moi le premier, je préfère ne rien dire plutôt que d'accentuer la peur chez mes camarades.

— Ici, c'est la pièce où la dame fait de la... *faisait* de la peinture, se reprend Fabrice qui s'est improvisé guide pour sa sœur. À côté, dans cette salle, regarde...

— Wouah ! C'est ça la réserve de boîtes de conserve dont tu m'as parlé ?

— Il n'y a pas de fenêtre, fait remarquer Fabrice. Je ne veux pas que nos parents me donnent cette chambre-là. J'aime mieux l'autre où il y a des bouteilles d'eau entreposées. Viens voir.

Pendant que le frère et la sœur se dirigent vers la dernière pièce, je m'attarde à l'atelier de l'artiste. Ce sera vraisemblablement la chambre d'Anoushka. J'essaie d'imaginer où elle placera le lit. Là, près de la fenêtre et du chevalet, à moins que ce ne soit plutôt contre ce mur qui...

Un moment !

Je repose les yeux sur le chevalet.

Non, bien sûr, il n'a pas bougé. Il est toujours au même endroit. Mais le tableau que la femme peignait avant de mourir...

Incrédule, je m'approche. Je m'arrête aux coups de pinceau colorés qui reproduisent l'image fixée au mur : les rouges et ocres du coucher de soleil, les traces bleutées de quelques filaments de nuages, les lignes grasses de fusain qui reprennent la silhouette des arbres et de la petite fille sautant à la corde...

Et la boule vert sombre d'un chêne inachevé au fond du jardin !

Il me semble bien... Non, je me trompe, bien sûr, ce n'est pas possible. Mais j'aurais juré...

Quand nous sommes venus, hier après-midi, j'ai noté que les feuillus n'étaient pas peints encore. Peut-être qu'il y avait cet arbre et que je ne l'ai pas remarqué. J'ai sans doute trop concentré mon attention sur les grands érables du premier plan qui n'ont aucune couleur.

C'est ça. Sinon... ce serait bien de la sorcellerie.

Je sursaute quand la voix d'Anoushka, tout près de mon oreille, demande :

— Tu redescends, Tristan ?

— Je... euh...

— Ça va ? s'informe-t-elle en m'observant, sourcils froncés. Tu es pâle. Enfin, pour un Noir, je veux dire.

— Mais non ! Qu'est-ce que tu crois ?

J'entraîne mes deux amis en direction de l'escalier. Je redescends sans parvenir toutefois à chasser une étrange et désagréable impression au fond de moi.

Sapristi de sapristoche ! Est-ce que cet arbre était déjà peint, oui ou non ?

9

— V OILÀ, C'EST RÉGLÉ, CONFIRME MARCO,
PENCHÉ SUR LE TRÉPIED QU'IL A INSTAL-
LÉ DANS LE COIN LE PLUS RECULÉ DE LA
PIÈCE VIDE. Toutes les cinq secondes, une photo
sera prise.

À deux pas de là, Michel Voyer et Antoine
déposent leur sac de couchage. L'épais tapis
forme un matelas de sol très potable. Autour
d'eux sont disposées deux boîtes à lunch, autant de bouteilles d'eau et une lampe de poche
pour ne pas avoir à allumer les lumières afin
d'éviter qu'un passant ou la police ne soupçonne la présence de rôdeurs dans cette maison abandonnée. Il y a aussi le téléphone
intelligent du chef des *Trois mousquetaires* et
l'ordinateur portable d'Antoine.

— On va vous faire part en direct de notre
expérience, déclare Michel Voyer. Comme ça,

vous pourrez constater qu'on n'est pas des peureux.

— Et vous aurez moins l'impression d'être tout seuls, pas vrai ? réplique Sarah Marcoux.

— Qu'est-ce que tu crois ? s'offusque Voyer en exagérant son agacement. On n'en sera pas moins isolés ! C'est pour vous permettre de nous surveiller à distance si vous le...

— Ouais, que je l'interromps. Pas sûr que ce soit une bonne idée d'exposer à la planète entière, par Internet, nos défis illégaux.

— Le lien n'est pas public, corrige Marco. On les suivra à partir d'une connexion avec un logiciel de conversation.

— Bon, ça va ! s'impatiente Anoushka. Maintenant que vous êtes installés, plus rien ne nous retient ici.

— Elle a raison, approuve Sarah Marcoux. Si on filait ?

Et nous sortons, les filles, Marco, Robin, Fabrice et moi, en laissant derrière nous les mines faussement rassurées de Michel Voyer et d'Antoine.

Une fois dehors, Anoushka et Sarah marchent à l'écart, bras dessus, bras dessous, se chuchotant je ne sais quelles confidences. Puis elles enfourchent leur vélo après nous avoir fait un signe de la main. Les deux membres des *Trois mousquetaires*, quant à eux, pédalent en s'éloignant sans même nous saluer, Fabrice et moi.

Éprouvant de nouveau cette forme de rejet à laquelle nous sommes familiers, nous ne cherchons à rattraper ni les filles ni les gars. Nous tardons même à prendre nos bicyclettes afin de montrer, inconsciemment, que l'isolement dont nous sommes victimes ne nous touche pas. Rapidement, nous nous retrouvons seuls, toujours dans le jardin des Turgeon-Hébert, tandis que les quatre autres sont déjà hors de vue.

— Si on se balançait un peu ? demande Fabrice en passant devant le long siège suspendu par des tubes couverts de toiles d'araignées.

Je plisse le nez en répliquant :

— Faudrait nettoyer d'abord.

Fabrice repère le vieux balai près de la porte par où nous sommes entrés. Avec énergie, il débarrasse la balançoire de ses filets argentés. Nous prenons place.

— On ne joue pas le jeu des *Quatre épais*, là ? que je m'inquiète. Si nous restons trop près de la maison, ça leur donnera du courage.

— Je n'y avais pas pensé, riposte Fabrice.

Je hausse les épaules sans bouger de mon siège.

— Bof ! Ils ignorent que nous sommes ici. Si nous nous contentons de murmurer, ils se croiront seuls à cinq cents mètres à la ronde.

Le soleil a disparu et les premières étoiles crèvent le violet du ciel. En réalité les étoiles, ce sont plutôt des planètes. Jupiter est au zénith

et Vénus entre deux talles de cèdres, à l'ouest.
J'en fais part à Fabrice.

— Comment tu fais pour distinguer les
planètes des étoiles ? qu'il me demande.

— D'abord, Jupiter et Vénus sont beaucoup plus brillantes que les autres points lumineux du ciel. Ensuite, elles ne scintillent pas,
leur couleur est laiteuse...

— Moi, je reconnais seulement la lune.

— C'est déjà ça.

Je ris. Pas Fabrice. Très sérieux, il me réplique plutôt :

— La lune, c'est comme une amie. Elle me
veille, me protège.

— Sapristoche, Fabrice ! C'est quoi, ces
conneries ? On croirait entendre un de ces
prêtres païens qui abusaient des populations
naïves de l'Antiquité. La lune, c'est un cail-
lou froid prisonnier du champ de gravité de
la terre. Le soleil, c'est une boule d'hélium et
d'hydrogène en constante explosion atomique.
Il n'y a rien de magique, là-dedans !

— Tu ne crois vraiment à rien, Tristan ?

— Si. Je crois à l'univers. À sa continuité, sa
perpétuité. À ses transformations infinies qui
créent la diversité depuis le big-bang... et sans
doute avant lui. Chaque élément atomique
existe depuis toujours, il prend seulement une
forme différente en fonction des forces en présence et du temps qui passe.

Fabrice respire plus fort. J'observe son profil se découper contre la voûte de plus en plus sombre du ciel. Qu'est-ce qu'il est grand, ce garçon ! Difficile d'imaginer qu'il a seulement quatorze ans. À côté de lui, j'ai l'air d'un nain. On doit faire une belle paire tous les deux. Il y a de quoi attiser les moqueries des autres.

L'obscurité s'intensifie et les étoiles joignent leur éclat à celui des planètes. Au bout d'un moment, mon ami géant réplique :

— J'ai peur que tu aies raison à propos de la lune, Tristan. Mais en même temps, je me dis que ce n'est pas possible que tout ça, tu sais, les galaxies, la vie, la mort, le chagrin... ça existe pour rien. Ta mère, tu ne penses pas qu'elle est au paradis ?

— Papa est certain de l'authenticité du paradis, pas moi. Il y prête foi, parce qu'il en ressent le besoin. Comme quand tu es petit et que tu veux continuer à croire au père Noël, même si tu as surpris ton oncle obèse en train de revêtir le déguisement. La religion, c'est ça. Irrationnel. C'est axé sur le désir de tenir quelque chose pour authentique, qu'importe la preuve. Raël et toutes les sectes du genre, c'est un exemple. Extrême, mais un exemple découlant d'un schéma identique. C'est personnel ce que je t'affirme là. Tu as le droit de penser différemment. Je respecte mon père et tous ceux qui ont la foi. De la même façon, je demande qu'on respecte mon athéisme.

Ses yeux se posent sur moi, puis reviennent aux étoiles. Je reprends :

— En ce qui me concerne, même si c'est difficile de l'admettre, je crois que maman, son esprit, son âme, appelle ça comme tu voudras, s'est simplement transformé en une autre forme d'énergie... ou pas du tout, en néant. Si je me trompe et que ma mère est là-haut, quelque part, assise dans un fauteuil assistant au spectacle du monde, eh bien, tant mieux pour moi. Je la retrouverai après ma propre mort. Et ce sera une agréable surprise. Mais pour l'instant et jusqu'à preuve du contraire, je n'y crois pas. Maman, c'est un souvenir. Une simple image, comme une photographie ou une vidéo, qui se projette sur l'écran de ma mémoire.

— La science est ta religion, émet Fabrice avec une perspicacité qui, de la part d'un gars que les autres jugent stupide, me réjouit.

— La science explique beaucoup de choses, oui. Les réponses que j'y trouve sont les mêmes que les croyants découvrent dans la Bible, le Coran, le Talmud ou les Védas. À une certaine époque, on louangeait Zeus, Osiris, Mithra... On pensait que les orages résultaient de la colère des dieux régnant audessus des nuages. Qui croit toujours à ça au vingt et unième siècle ? Personne. Un jour, la

science lèvera le voile sur ce qu'on ne comprend pas aujourd'hui et qu'on met sur le
compte de Dieu.

— La mort, par exemple.

— Ou les filles.

Nous nous esclaffons, une main sur la
bouche, pour éviter que Voyer et Antoine
sachent que nous sommes dehors. Nous dis-
cutons comme ça à voix basse pendant une
heure peut-être, je ne sais trop. À un certain
moment, je suis en train d'expliquer :

— Les chrétiens, les juifs et les musulmans
croient au même Dieu, mais en l'honorant
de manière différente. Et pour ça, ils se mas-
sacrent. À part la décoration sur les murs, je
me demande ce qui distingue une synagogue
d'une...

— Tristan...

Je ne tiens pas compte de l'interruption
de Fabrice qui, le nez une fois de plus vers
les étoiles, ne semble plus m'écouter. J'insiste
donc.

— Tu sais pourquoi les croyants vont à
l'église, à la mosquée ou à la synagogue ? Je
veux dire, *inconsciemment* ?

— Tristan...

— Ils y vont, non pas pour prier ou pour
louanger Dieu, mais pour lui pardonner d'être
aussi indifférent aux malheurs du monde.

— Tristan... Là-haut...

— Quoi, là-haut ? dis-je avec impatience en regardant le ciel à mon tour.

Je ne distingue rien de particulier. Fabrice se lève précipitamment, faisant osciller la balançoire où je suis toujours assis. Il répète, mais beaucoup plus rapidement, avec intensité.

— Là-haut ! Regarde ! Regarde !

— Quoi, sapristoche ? Tu vois une soucoupe volante ?

— Non ! À la fenêtre du deuxième étage ! Je... Tu as vu ?

Je fixe la croisée noire dont la vitre reflète l'éclat de Vénus. C'est la pièce où il y a l'eau et les boîtes de conserve.

— Qu'est-ce que je devrais voir ?

— Rien, répond Fabrice, sa lèvre inférieure tremblotante. Rien. Il n'y a plus rien. Mais tout à l'heure...

— Tu as aperçu quoi ?

— Une forme...

— Une forme de quoi ?

Il tourne son visage vers moi et, en dépit du faible éclairage, j'y distingue une peur authentique.

— Je te jure, Tristan, j'ai aperçu un... une...

— Un fantôme ? que je complète d'un ton moqueur.

Il hoche vivement la tête dans l'affirmative.

— Une forme floue. Ne ris pas. Je t'assure que...

Un bruit sourd l'interrompt. Ça semblait venir de quelque part à l'intérieur de la maison.

— Qu'est-ce que ces deux idiots sont en train de manigancer ?

— Ce n'est ni Michel ni Antoine que j'ai vus par la fenêtre, Tristan. Ça, je te le certifie.

— Quoi que tu aies aperçu, le bruit n'est pas norm...

Mais je n'ai pas le temps de terminer ma phrase. Un grand cri résonne dans l'air du soir. La porte par où nous avons circulé s'ouvre violemment. Nous voyons surgir Michel Voyer et Antoine, pieds nus, l'un en caleçon boxeur, l'autre en culotte de pyjama, hurlant de terreur.

Ils courent si vite et sont si effrayés, qu'ils ne nous remarquent même pas, Fabrice et moi, près de la balançoire, à vingt pas de distance.

10

UNE DEMI-HEURE PLUS TARD, NOUS NOUS REJOI-
GNONS CHEZ MARCO. En fait, je devrais
dire : nous rejoignons à grands coups
de pédale deux gars épouvantés qui foncent
chez Marco.

D'avance, nous nous étions entendus pour
que le lieu de réunion de notre équipée passe
par la résidence de ce membre des *Trois mousquetaires*. Il est le premier sur la route menant
à la maison des Turgeon-Hébert et nous pouvons descendre au sous-sol par une entrée in-
dépendante, ce qui nous évite d'avoir à croiser
ses parents.

Les adultes, ils sont toujours curieux de savoir ce que font six adolescents ensemble, surtout si deux d'entre eux sont fortement agités
au point de ne plus pouvoir faire de phrases
cohérentes... et que l'un n'est vêtu que d'un

caleçon boxeur et l'autre d'un pantalon de pyjama.

Antoine est si perturbé que, à intervalles réguliers, il essuie des larmes sur ses joues. Avec vigueur et d'un ton trop moqueur, je clame :

— En tout cas, pour ce qui est du défi, c'est un échec total pour vous. Vous avez tenu une heure à peine.

— Et vous avez abandonné tout le matériel, se plaint Marco à qui appartient la caméra. Il faut retourner la chercher.

— Merde pour ta caméra ! jure Voyer qui tremble comme un ruban de chapeau sous la brise. Il y a aussi tout notre stock à nous : les sacs de couchage, le linge, mon téléphone...

— Mon ordinateur ! ajoute Antoine en passant le dos de sa main sur sa joue. Câliboire ! Même quand mon père a eu cet accident de voiture avec moi assis derrière et qu'on a fait trois tonneaux, je n'ai pas eu aussi peur.

— Je vais le récupérer, votre matériel, moi ! dis-je plein de pitié pour eux.

— Seul ? s'étonnent dans un bel ensemble Marco et Robin.

Je m'apprête à répliquer qu'il n'est pas question que je me tape à moi seul tout le fourbi quand Michel Voyer me devance en me lançant avec une intonation remplie de hargne :

— Tu es un imbécile !

Je croyais avoir droit à de la reconnaissance, moi, qui lui offre d'aller récupérer ses affaires. Je ne me suis pas rendu compte que ma proposition ressemble à une provocation si évidente que c'en est presque du mépris.

— Tu n'as aucune idée de ce qui s'est passé, là... là-dedans ! lance-t-il, son bras tremblant tendu vers le mur au-delà duquel, à quelques kilomètres, se trouve la maison des Turgeon-Hébert. Il y a...

— ... une présence, complète Antoine, les yeux dans le vague, fixés sur une scène qu'il est seul à voir.

— Dehors, dans la balançoire, nous avons entendu un bruit... dit Fabrice.

Voyer détourne de moi son regard furieux pour le poser sur mon ami géant.

— La balançoire ? s'étonne-t-il. Vous étiez encore là-bas ?

Fabrice me jette un coup d'œil nerveux comme s'il craignait d'avoir trahi un secret éventuel, aussi, je m'empresse de le détromper en confirmant :

— Oui. Nous bavardions tous les deux quand nous avons perçu un grand bruit venu de l'intérieur. Nous croyions que c'était vous qui aviez fait quelque cho...

— Alors, vous l'avez entendu, vous aussi ? me coupe Voyer. Un son assourdissant ?

— Ce n'est pas vous qui avez frappé sur un mur ? dis-je sur un ton vaguement accusateur.

— Mais tu ne comprends rien, maudit bamboula ! crie Voyer en me menaçant de son poing. Je te dis que cette satanée maison...

— Mais vous avez vu quoi ? interroge Robin qui commence à manquer de patience envers son chef de bande.

— Ouais, qu'est-ce qui s'est passé pour que vous abandonniez ma caméra ? insiste Marco qui, décidément, me paraît drôlement matérialiste.

— Il s'est passé que, tandis qu'on jasait tranquillement, Antoine et moi...

— En fait, j'essayais de régler le réseau de mon ordi sur le lien cellulaire du téléphone de Michel, précise Antoine.

— La maison a vibré de la cave au grenier. Comme si elle explosait... mais sans éclater en mille morceaux.

— De dehors, ça ressemblait juste à un bon coup de pied dans un mur, ai-je précisé en faisant une moue.

— Eh bien, si tu avais été dedans, tu aurais constaté la différence ! réagit Voyer en hurlant dans ma direction. Je pensais que le plafond allait nous tomber dessus. Antoine et moi, on s'est regardés, on a écouté, et là...

— Un drôle de son s'est fait entendre, poursuit Antoine. Quelque chose comme « ploup-

ploup-ploup », comme si on était dans un bateau.

— Il y avait de la lumière ? demande Marco.

— Non, répond Voyer. On avait convenu qu'il ne fallait pas allumer. On a pris notre lampe de poche et on s'est mis à explorer les alentours.

— Pas longtemps, dit Antoine.

— Non, pas longtemps, confirme Voyer. Dès qu'on est passés devant l'escalier, on... on a vu...

— L'escalier ondulait, émettent les lèvres tremblotantes d'Antoine.

— Il... quoi ? dis-je étonné. L'escalier faisait quoi ?

— C'est comme si tout le bois était devenu mou. Il faisait des vagues.

— Y avez-vous touché ? questionne Robin. Êtes-vous êtes allés au deuxième ?

— T'es malade ! réplique Antoine avec une mine non pas fâchée, mais terrorisée. On se serait enfoncés dans les marches comme dans du Jello.

— Surtout que... le chemin était barré, murmure Voyer. Barré !

— Oh, Seigneur ! laisse échapper Antoine en portant ses doigts sur sa bouche comme s'il apercevait le diable devant lui – et c'est peut-être le cas, car ses yeux continuent de fixer une scène dans sa mémoire.

Michel Voyer place une main sur mon épaule et me serre si fort que je grimace de douleur. Mais je le laisse parler sans intervenir.

— Dans l'angle le plus sombre de l'escalier, au milieu des marches qui ondulaient, nous avons vu...

— ... une forme... ajoute Antoine.

— Une forme, oui, confirme Voyer. Blanche, floue, avec des yeux...

— ... qui nous fixaient...

— On n'a pas attendu pour demander au fantôme s'il existait pour de vrai, fulmine Voyer en me gratifiant de nouveau d'un regard mauvais. On a foutu le camp.

— Fabrice et moi, on a remarqué, oui.

— Et c'est tout l'effet que ça te fait, maudit bamboula ? s'écrie Voyer en serrant encore plus fort ses doigts sur mon épaule. On a failli être attaqués par un spectre !

Je me dégage dans un geste vif du bras et recule d'un pas pour ne pas que la main de Voyer m'agrippe de nouveau.

— Je ne sais pas ce que vous avez entendu ni ce que vous avez vu, mais une chose est sûre, vous avez échoué le pari que vous avez vous-mêmes lancé !

— Il n'est pas terminé, le défi, riposte Antoine qui, après un dernier mouvement du plat de la main sur sa joue, reprend de l'assurance.

C'est à votre tour de tenir compagnie au fantôme. Et pas plus tard que demain soir.

— Bonne idée ! approuve Marco. Ça prend quelqu'un pour récupérer ma caméra.

— Je n'y vais pas demain soir, dis-je, mais immédiatement. J'ai juste besoin d'aide pour ramasser vos nombreuses affaires.

Marco proteste :

— L'histoire qu'on vient de raconter ne me donne pas envie d'y aller. C'est votre défi à vous autres, donc à vous autres de retrouver mon matériel.

— Moi, je ne retourne pas là, assure Antoine d'une voix blanche.

— De toute façon, fait Robin en regardant sa montre, mon père exige que je sois à la maison dans dix minutes.

— Alors, tu viens avec moi, Voyer ? que je lance les bras croisés et sans cacher un sourire narquois sur ma figure au chef des *Quatre épais*, l'instigateur de ce pari stupide.

— Tu fais ton brave parce que tu sais que personne ne te suivra, le bamboula, et tu continueras de prétendre ne pas avoir envie de te taper le matériel tout seul. Mais ce sera de courte durée, ta victoire. Non, je n'y vais pas ce soir, je suis en caleçon, si tu as remarqué, et je veux juste retourner chez moi. Mais demain, en plein soleil de midi, on s'y retrouve toute la gang. Toi comme nous.

— N'empêche que Tristan a gagné, ose Fabrice. Tu dois cesser de te moquer de...

— Oh que non ! riposte aussitôt Voyer. Tant qu'il n'a pas lui-même passé une nuit complète dans la maison hantée des Turgeon-Hébert, il ne peut pas prétendre avoir relevé mon défi. Encore moins l'avoir remporté. Si, demain soir, il se dégonfle au même titre qu'Antoine et moi, au mieux, ce sera un match nul.

— À moins que je ne tienne plus qu'une heure, dis-je d'un ton narquois.

— Pour le moment, une chose est certaine, tu n'as pas prouvé que tu étais plus brave que nous.

— Ça, c'est sûr, approuve Robin.

— On... on revient là, demain ? s'inquiète Antoine.

— Moi... moi aussi ? dit Fabrice, angoissé.

— En plein midi, confirme Voyer.

— Pour récupérer ma caméra, se réjouit Marco.

11

J E NE SAIS PAS QUELLES RAISONS MICHEL VOYER A INVOQUÉES POUR EXPLIQUER À SES PARENTS QU'IL PORTAIT DES VÊTEMENTS PRÊTÉS PAR MARCO LORSQU'IL EST RETOURNÉ CHEZ LUI, MAIS MOI, RIEN QUE D'Y SONGER, ÇA ME FAIT RIGOLER. Pareil pour Antoine. Finalement, ce défi, même s'il recèle encore plusieurs mystères, me permet de m'amuser un bon coup.

En me réveillant dans mon lit, le samedi matin, la première chose qui me revient à l'esprit est, non pas la terreur des *Quatre épais*, la veille, mais la main d'Anoushka sur mon bras lorsque nous avons monté ensemble l'escalier des Turgeon-Hébert. J'essaie de goûter à nouveau – en mémoire – la douceur de ses doigts sur mon bras.

L'animatrice du canal météo annonce que « deux, peut-être trois » jours de beau temps sont encore prévus. La fraîcheur de jeudi n'aura donc été que passagère dans cet automne qui a des sursauts d'été. Je salue papa en passant devant la porte entrouverte de sa chambre, puis je déjeune seul en vérifiant mes messages sur mon portable. Évidemment, comme d'habitude, je n'ai rien.

— Papa ! Je vais retrouver Fabrice. Je reviendrai plus tard pour préparer mon sac à dos avec mes affaires pour passer la nuit à l'extérieur de chez nous. À plus !

Une main sur la poignée de porte, j'ai crié en direction de la salle de bain où j'ai entendu mon père se rendre, deux minutes plus tôt. Mais c'est la voix d'Annie qui me répond :

— Tu resteras à souper, Tristan ?

— Oui, Annie !

— À plus tard, alors !

J'enfourche mon vélo et fonce chez mon ami. Je le trouve dans le stationnement en train de gonfler ses pneus de bicyclette. Anoushka est au balcon de l'appartement, un séchoir à cheveux malmenant sa longue crinière rousse. Le bruit l'empêche de m'entendre saluer son frère. Je suis déçu de ne pouvoir échanger un sourire avec elle.

— J'ai fait plein de cauchemars toute la nuit, me confie Fabrice à mi-voix tandis que je lui tends les bouchons de valve de ses chambres à air.

— Normal. Avec les énervements des *Quatre épais*, hier.

— C'est surtout ce maudit fantôme que j'ai aperçu à la fenêtre quand...

— Tu veux dire « la forme floue indéfinissable » à la fenêtre. Tu sautes vite aux conclusions en affirmant qu'il s'agissait d'un fantôme.

— N'empêche...

— Moi, je pense que c'était un reflet venu de l'extérieur et peut-être même Voyer ou Antoine monté au deuxième étage.

— Pas selon leur récit des événements. Ils n'auraient pas bougé du rez-de-chaussée.

— Ouais. Eh bien, on verra sur les images captées par la caméra laissée sur place.

— Tu as raison.

Le bruit du séchoir à cheveux s'éteint. Je lève les yeux pour saluer Anoushka, mais la sœur de mon ami a déjà quitté le balcon. Elle aurait voulu éviter d'avoir à m'adresser la parole qu'elle n'aurait pas agi plus précipitamment. C'est vraiment poche, une fille. Une journée, ça vous prend par le bras en affirmant que ça ne peut pas faire un pas sans vous et, le lendemain, ça vous ignore comme si vous étiez aussi transparent que l'air.

Ou qu'un fantôme.

Je demande à Fabrice :

— Tu as dit à Anoushka ce qui s'est passé après son départ ?

— Je lui ai conté la frousse des deux gars, oui.

Je retiens un petit rire avant de m'informer :

— Elle a dû bien se moquer d'eux, non ?

Fabrice hoche la tête de gauche à droite et, par réflexe, regarde aussi vers le balcon vide. Il répond :

— Oh non, au contraire ! Elle est devenue encore plus blanche que d'habitude. Je crois qu'elle va multiplier les assauts pour convaincre mes parents de ne pas acheter la maison hantée.

Je secoue la caboche à mon tour.

— Les filles...

— On y va ? demande Fabrice après avoir replacé la pompe à air dans son étui sur le cadre de son vélo.

— Anoushka ne vient pas ?

— Avec ce que je lui ai raconté, elle préfère attendre de savoir ce que la caméra a filmé. Et puis, elle va faire de l'équitation.

— Il ne connaît pas sa veine, cet animal.

Nous nous engageons dans les rues qui mènent à la sortie de la ville, là où, nichée sur la falaise non loin de la tour de communication, repose l'ancienne demeure du malheureux couple Turgeon-Hébert.

— Marco et Robin sont déjà là, me fait remarquer Fabrice tandis que nous approchons de notre destination.

Les deux membres de la bande des *Trois mousquetaires*, en effet, attendent, non pas à la maison comme telle, mais sur le bord de la chaussée, près de la longue entrée qui relie l'avenue au porche. Marco est assis sur la chaîne du trottoir, sa bécane près de lui. Robin est toujours debout, sa bicyclette entre les jambes, le dos rond, les bras appuyés sur le guidon.

— Pourquoi vous restez là ? que je demande une fois arrivé à leur hauteur. Toutes les voitures qui passent vous remarquent et si jamais la police apprend que quelqu'un s'amuse à entrer illégalement dans la maison, vous serez les premiers à être soupçonnés.

— On vous attendait, grommelle Marco en se relevant.

— Pas question d'approcher ce repaire de spectres tout seuls, renchérit son acolyte.

Je soupire bruyamment pour bien montrer mon dépit. Non, décidément, il n'y a pas que les filles qui sont irrationnelles. Et parlant d'elles, justement, j'entends la voix de Sarah Marcoux nous interpeller au bout de l'allée, au loin.

— Eh bien, quoi, les gars ? Qu'est-ce que vous fichez ? Voilà un quart d'heure qu'on vous attend, Sonia, Caroline et moi !

— Et vous n'êtes même pas allés rejoindre les filles ? que je demande aux deux membres des *Quatre épais*.

Marco soulève exagérément les sourcils pour bien manifester son étonnement.

— Ça alors ! On n'avait pas remarqué qu'elles étaient là.

Je me redresse sur mes pédales pour engager mon vélo dans l'entrée. Je dis :

— Ça montre au moins que, lorsque nous maraudons autour de la maison, on peut espérer rester inaperçus de la rue.

Nous rejoignons les trois filles qui nous accueillent, enjouées et turbulentes. Sarah Marcoux, sa longue chevelure blonde éclatante sous le soleil de midi, demande :

— Ils sont déjà retournés chez eux, les chasseurs de fantômes ? On a frappé à la porte, mais on n'a reçu aucune réponse.

J'avais oublié que celles-ci ignorent la fin de l'aventure de la veille. C'est Marco qui réplique, et sans même se soucier de ménager la réputation de son chef de bande.

— Michel et Antoine n'ont pas fait une heure. Ils ont eu une sacrée peur.

— C'est vrai ? s'étonne Sarah en perdant son sourire.

— Ils ont vu un fantôme ? s'inquiète Sonia en reprenant, elle aussi, un air sérieux.

— Plutôt, oui, ricane Robin, mais sans joie.

Curieusement, c'est sur moi que se concentre le regard des trois filles. Comme si j'étais le seul crédible pour raconter ce qui s'est passé. Sans doute parce que je ne me laisse ni emballer ni décontenancer par les événements.

— Alors, tu as gagné le pari ! s'exclame Sarah Marcoux contre toute attente.

— Pas encore, que je réplique. Fabrice et moi devons d'abord prouver que, contrairement à Michel et à Antoine, nous avons le courage de rester une nuit entière dans la maison.

— Mais, ces deux-là, hier, justement... interroge Caroline, qu'est-ce qu'ils ont... Qu'est-ce qui leur est arrivé ?

Intervenant chacun notre tour, dans l'ordre et le désordre, sans trop respecter la chronologie des événements, nous leur brossons le récit de ce qui est survenu la veille. Au bout d'un moment, entre questions et réponses, l'histoire finit par prendre forme dans l'esprit des filles.

— Alors, il y aurait réellement un fantôme dans cette maison, conclut Sonia d'une voix rêveuse en regardant le bâtiment par-dessus son épaule.

— Les fantômes n'existent pas ! que je réplique pour la millième fois. On ne sait pas encore ce qui s'est passé, mais rien n'indique que...

— Mais toi, Fabrice, tu assures l'avoir vu ? s'informe Caroline en posant l'extrémité de son index sur le bras de mon ami géant. C'était à la fenêtre, là ?

Et son doigt se déplace pour accomplir un arc de cercle en direction du deuxième étage.

— Il a aperçu un *reflet*, que j'affirme.

— Ouais, c'était sans doute un reflet, confirme Fabrice pour m'appuyer.

— Tu dis ça parce que Tristan t'oblige à penser ainsi, corrige Sonia en me fixant de ses yeux à demi-fermés, comme quand on accuse. Seulement, toi, Fabrice, dans ton for intérieur, personnellement et intimement, que crois-tu vraiment ?

— La question n'est pas de croire ! que je proteste en laissant tomber mes bras de chaque côté de moi. Mais de réfléchir à... Oh ! Et puis, j'abandonne. Pensez ce que vous voulez.

— Alors, Fabrice ? insiste Sonia appuyée par ses deux copines. C'était vraiment le fantôme ?

Mais avant que mon ami ait le loisir de répondre, Robin, agitant les clés de la maison dans sa main, s'exclame :

— Ah ! Voilà Michel et Antoine ! Je commençais à me demander si nous ne devrions pas entrer chercher le matériel sans eux.

12

SANS SURPRISE, C'EST MOI QUI OUVRE LE CHE-
MIN POUR ENTRER DANS LA MAISON. SUR MES
TALONS, IL Y A FABRICE, SUIVI DE MARCO ET
ROBIN. Les filles suivent derrière eux. Voyer a
prétendu vouloir fermer la marche pour servir
« d'arrière-garde ». Personne n'est dupe, mais
personne ne rit de lui non plus. Je crois même
que les autres pensent qu'il est courageux de
retourner dans ce lieu qui l'a tant épouvanté.
Surtout qu'Antoine, lui, refuse catégorique-
ment de franchir le seuil.

J'ai l'impression d'amener avec moi une
bande d'enfants de l'école primaire se prépa-
rant à monter dans un manège qui les effraie
tout en les attirant.

Au premier abord, rien ne semble avoir
changé dans la maison. Même silence, même
lumière, même puanteur... Pendant que je ba-

laie la cuisine des yeux, Marco, secondé de Robin, se dirige vers la pièce où Voyer et Antoine s'étaient installés. Il a hâte de constater si sa caméra est toujours là.

— Hé ! Mais qu'est-ce que c'est que ?...

C'est Fabrice qui vient de s'exclamer. Il est du côté de l'escalier. Les autres se figent, mais moi je me précipite vers lui.

— De l'eau !

Il a raison. Le plancher, au pied des marches, est tout mouillé. Les marches brillent tellement elles sont humides.

— Qu'est-ce qui se passe ? demande Sarah Marcoux en apparaissant à côté de moi.

— Il y a un dégât d'eau à partir du deuxième, que je réponds. Je vais voir.

— Je monte aussi, dit Fabrice.

— Et moi de même, affirme Sarah.

Elle se tourne vers ses copines.

— Vous venez, les filles ?

Toutes deux ripostent négativement d'un rapide mouvement de la tête, les yeux ronds, avec une expression signifiant « pas question de nous éloigner de la sortie si jamais un revenant surgissait des enfers pour nous bouffer la tête ».

— Peureuses, va ! les nargue Sarah en oubliant que, la veille, elle-même a refusé de nous accompagner en haut.

Tandis que je m'attaque prudemment aux marches glissantes, je jette un regard par-dessus mon épaule. Voyer est avec Robin et Marco...

— Fiou ! Ma caméra n'a rien !

... et il se penche sur les sacs de couchage pour les récupérer. Je perds le groupe de vue en atteignant l'angle de l'escalier.

— C'est ici qu'Antoine prétend avoir aperçu le fantôme qui les regardait fixement, chuchote Fabrice à Sarah en lui désignant les marches en triangle que forme le coude.

— On est braves, et pas à peu près, déclare la fille en retenant sa respiration et en scrutant l'espace qui nous entoure comme si elle craignait d'y voir apparaître la forme floue du spectre.

Au lieu de m'agacer, sa remarque m'amuse. J'éclate de rire. Sarah, loin de se fâcher, pince les lèvres pour ne pas pouffer à son tour.

— C'est vrai, quoi ! murmure-t-elle en fronçant les sourcils et en feignant de paraître irritée. Ne te moque pas. Nous avons un courage digne des... de...

— Du père Noël quand il s'élance dans une cheminée trop étroite ! dis-je en riant encore plus fort.

— T'es con, réplique-t-elle.

Mais elle et Fabrice rigolent autant que moi.

Nous montons les dernières marches qui nous permettent d'atteindre le palier. Le plancher est aussi inondé qu'en bas. Soudain, je découvre...

— Ça par exemple !

Fabrice et Sarah s'arrêtent net dans mon dos.

— Que... qu'est-ce qu'il y a ?

— Voilà d'où vient la fuite.

Et je me dirige vers un gros contenant de vingt litres qui repose sur le flanc, près de l'entrée de la dernière chambre.

— Une bouteille d'eau ? s'étonne Fabrice en me suivant.

— Elle s'est complètement vidée, confirme Sarah. C'est pour ça que c'est tellement mouillé dans l'escalier.

J'examine un instant les lieux, l'endroit où se trouvait la bouteille avant de basculer, les autres contenants, la pente du plancher, puis j'éclate d'un nouveau rire.

— Qu'est-ce qui t'amuse autant ? demande Sarah, mais sans me regarder, en fixant plutôt d'un air intrigué les deux pièces remplies de victuailles qu'elle n'avait pas encore vues.

— Ce biberon de vingt litres est tombé d'ici. Il devait être comme ceux qu'on aperçoit là, superposés aux autres. L'équilibre est très précaire. Pour une raison quelconque – peut-être seulement parce qu'on a provoqué des vibrations dans la maison à force d'y circuler, de refermer des portes –, elle a chuté, ce qui a fait sauter son bouchon et tout son contenu s'est répandu en suivant la pente du couloir vers l'escalier.

— C'est le bruit qu'on a entendu de dehors ? demande Fabrice.

— Évidemment. Tu as vu de quelle hauteur la bouteille s'est renversée ? Ç'a dû faire un moyen vacarme en bas, d'où l'impression qu'a eue Voyer que le plafond allait leur tomber sur la tête.

— Et le « ploup-ploup-ploup » d'Antoine... fait Sarah en me désignant le goulot ouvert.

— Tu as tout compris, que je réplique. Ensuite, effrayés et nerveux, dans la pénombre, ce que les gars ont pris pour les marches qui ondulaient, c'était simplement l'eau qui s'écoulait à grand débit et qui arrivait au rez-de-chaussée.

— Ça alors ! fait Fabrice, en regardant là et en se grattant la nuque. Tu avais raison quand tu disais qu'il y a toujours une explication à tout.

— Sans fantômes, sans Bon Dieu et sans père Noël, que je confirme en le poussant par le bras.

— J'aurai vraiment moins peur maintenant de dormir ici, cette nuit.

— Allez, redescendons pour dire au chef des courageux mousquetaires combien il s'est rendu ridicule.

— Ça n'explique pas l'apparition que lui et Antoine affirment avoir aperçue, insiste tout de même Sarah en nous précédant vers l'escalier.

— Tu sais, quand on est effrayé et qu'on craint déjà la visite d'un spectre, n'importe quelle ombre peut prendre la forme de ce qu'on redoute.

— Mais moi, dit Fabrice, je n'avais pas peur quand j'ai remarqué le fantô... je veux dire, le reflet dans la vitre, dehors.

— N'empêche qu'on avait pas mal parlé de revenants dans les heures précédentes.

— Tu as sans doute raison, approuve-t-il.

— Faites quand même attention dans l'escalier, dis-je, parce que, moi, ce qui m'inquiète, ce sont ces marches humides.

Lorsque nous accédons de nouveau au rez-de-chaussée, nous affichons la mine triomphante des alpinistes de retour du sommet de la montagne. Mais je prends vite un air intrigué en constatant le silence qui règne en bas. Pendant plusieurs secondes, je me surprends à soupçonner Voyer, Robin, Marco, Caroline et Sonia d'être partis sans nous attendre.

— Eh bien, où êtes-vous ? demande Sarah.

— Ici.

La voix de Sonia provient de la pièce vide. Nous nous y dirigeons et les retrouvons tous les cinq autour de la caméra. L'écran est tourné de manière à ce que tout le monde puisse l'observer en même temps.

— On a trouvé ce qui vous a tant effrayés, hier soir ! clame Sarah avec une expression mâtinée de gaieté et de moquerie. Tu veux que je t'explique ?

Je m'attends à ce qu'il proteste, voire l'insulter, mais il reste silencieux, à la fixer. Je remarque la mine apeurée des autres, la pâleur de leurs joues. L'image bouge sur l'écran de la caméra.

— Que... qu'est-ce qui se passe ? finit par demander Sarah à ses deux copines.

— La vidéo, répond Sonia en désignant le minuscule moniteur d'un index tremblant. Enfin, la vidéo... disons plutôt, les photos prises aux cinq secondes...

— La caméra a photographié le fantôme ! conclut Caroline, les lèvres blanches de peur.

Et sans attendre personne, elle court vers la sortie.

13

PUISQUE, À PART MOI, PLUS PERSONNE NE TIENT À RESTER DANS LA MAISON, NOUS SORTONS TOUS POUR NOUS RASSEMBLER AUTOUR DE LA BALANÇOIRE. Voyer redonne ses effets à Antoine qui se montre le plus empressé à vouloir regarder les images de la caméra. Même après que je lui ai rapidement expliqué l'incident de la bouteille.

Marco place son appareil de manière à ce que son ombre masque la lumière trop éblouissante du soleil. Nous formons un groupe le plus compact possible, nos joues se touchant presque, pour voir – ou revoir – les scènes captées par l'objectif.

— On ne distingue pas grand-chose, se plaint Sarah, les yeux plissés. Vos images sont tellement sombres. Et avec ce soleil...

— Regarde comme il faut ! grommelle Voyer. Me semble qu'on nous reconnaît très bien ici en train de déposer notre matériel.

— Grâce à ton sac de couchage de couleur pâle... explique Caroline. Ça crée comme un fond où vous vous découpez en silhouettes.

— Oh, wow ! Le chef des *Trois mousquetaires* en bobettes ! fait Sarah, moqueuse.

À part Fabrice et moi, personne ne rit. Surtout que Marco fait se succéder les images à toute allure pour arriver plus rapidement aux passages jugés intéressants. Enfin, il arrête le défilement accéléré sur un portrait d'Antoine fixant le plafond. On distingue Voyer de dos...

— C'est ici... nous venions d'entendre le bruit, explique le chef de la bande.

Les deux clichés suivants montrent Voyer et Antoine dans différentes postures où ils semblent très agités et apeurés.

— Là, nous sortons de la pièce pour comprendre d'où proviennent les « ploup-ploup-ploup », précise Antoine. Ne va pas si vite, Marco, avec le... Oh ! Reviens ! La photo d'avant, là. Oui.

— Arrête de faire ces yeux-là, le bamboula ! s'écrie Voyer à mon endroit et en me donnant un coup sur l'épaule.

Je ne m'étais pas aperçu que je roule des pupilles impatientes et incrédules.

— Frappe-moi encore comme ça, Voyer, que je riposte en grognassant à mon tour, et on n'aura pas besoin que tu enlèves tes affreuses bobettes pour rire de ton zizi...

Il va répliquer je ne sais trop quoi, mais le ricanement de Sarah a raison de lui. Antoine explique :

— Tu vois, Sarah ? L'angle nous permet d'apercevoir le pied de l'escalier par la porte ouverte. La lumière de ma lampe de poche éclaire la première marche. Ça ondule.

Fabrice et Sarah se penchent si bien devant moi que je perds l'écran de vue. Même Caroline – qui, pourtant, tremble encore de peur — et Sonia qui ont déjà examiné les clichés m'empêchent d'observer.

— C'est le mouvement de l'eau sous le faible éclairage qui provoque cet effet, que je clame lorsque, enfin, je parviens à étudier la photo.

— Tristan a raison, approuve Sarah en se redressant. Ce n'est pas très convaincant.

Ses cheveux sont repoussés par le vent et j'en reçois une mèche juste sous le nez. Ils sentent bon la noix de coco – parfum de son shampoing, bien sûr –, ce qui donne un air de tropique à l'été indien.

En tout cas, ça change de l'odeur de cheval d'Anoushka.

— Je suis d'accord avec Sarah, s'impatiente Caroline, cette image ne veut rien dire. Mais plus loin...

Elle repousse un peu Marco pour appuyer elle-même sur le bouton de défilement et faire avancer les scènes. Elle s'arrête au bout de quelques-unes, et sa lèvre inférieure tremblote lorsqu'elle annonce :

— Là, celle-là !

— C'est un moment après que nous soyons sortis dehors, précise Antoine.

— Ma caméra continuait de fonctionner toute seule, explique Marco, bien que tout le monde ait compris.

Sarah pousse un hoquet de surprise et, près de mon oreille, j'entends la respiration de Fabrice se bloquer soudain. Moi-même, je dois cligner des paupières trois ou quatre fois pour être bien certain de ce que j'aperçois.

Le minuscule moniteur nous révèle une forme vaporeuse, grisâtre, une brume redessinant vaguement la silhouette d'un corps humain. Là où une tête semble se découper au-dessus d'épaules, un ovale plus sombre évoque un visage sans véritables traits... sauf pour deux enfoncements bien visibles pouvant représenter des orbites oculaires !

Antoine laisse échapper un râle.

— C'est exactement ce que nous avons aperçu dans l'escalier ! gémit-il.

Pour un peu, il se mettrait à pleurer.

— Si c'est un reflet, fait Voyer en avançant son visage tout près du mien, pourquoi on ne le retrouve pas sur les autres clichés ?

— Parlant des autres clichés, poursuit Marco, on revoit le fantôme plus loin...

Il reprend à Caroline le contrôle du bouton de défilement.

— Là ! Juste là. Et puis... ici aussi. Vous voyez ?

Les deux épreuves qu'il désigne sont des clichés très sombres, marqués de beaucoup de pixels d'interférences. Marco augmente la brillance et le contraste pour mieux détacher les éléments. On distingue – quoiqu'à peine — la même forme floue, et comme elle se reconnaît à deux angles différents du cadre, je dois avouer que la théorie d'un reflet éventuel venu de l'extérieur ne tient pas la route. Sarah Marcoux tourne vers moi un regard intrigué comme si elle pensait trouver dans ma logique habituelle l'explication à ce phénomène curieux. Je feins de ne pas remarquer sa mine interloquée, car ces clichés étranges échappent à l'entendement.

— Je suis content que ma sœur n'ait pas vu ces photos, souffle Fabrice qui semble avoir réappris à respirer.

— Qu'est-ce que c'est, selon toi, Tristan ? demande Sarah.

Je note tout à coup que, non seulement Sarah et Fabrice ont le visage tourné vers moi, mais tous les autres aussi. Antoine et Caroline expriment une terreur difficilement contrôlée. Marco, Sonia et Voyer balancent entre la frayeur – maintenue à distance par le soleil éblouissant – et un air moqueur signifiant : alors, le génie, qu'est-ce que tu dis de ça ?

Haussant les épaules et minimisant de mon mieux l'absence totale d'explications générée par ces images, je réplique simplement :

— J'ignore de quoi il s'agit, car les clichés sont trop mauvais. Mais nous verrons cette nuit puisqu'il n'y a rien de changé dans nos plans. Fabrice et moi allons dormir dans la maison, comme prévu.

Le soupir de mon ami géant, à côté de moi, ressemble à un cri d'agonie.

— Je ne peux pas te laisser ma caméra, dit Marco. J'ai un souper de famille au restaurant et, comme d'habitude, mes parents ont fait de moi le photographe officiel de l'événement.

Il grommelle en refermant son appareil :

— Je me demande si je n'aimerais pas mieux passer la nuit avec un fantôme.

— Je te laisse mon vieux portable, propose Antoine. Il est muni d'une caméra intégrée. J'ai un programme qui peut photographier à intervalles réguliers. Comme ça, demain, on pourra vérifier combien de temps vous avez duré.

Je ris.

— À ce que je peux constater, tu es certain que nous ne tiendrons pas toute la nuit.

C'est Voyer qui, jouant encore les molosses, s'approche de moi, mâchoires serrées.

— Tu fais le malin, mais tu rigoleras moins, ce soir, quand le revenant t'entraînera en enfer avec lui.

— C'est normal qu'il cherche ma compagnie, je suis un gars sympathique.

Le rire de Sarah Marcoux, une fois de plus, a raison des intimidations ridicules du chef des *Quatre épais*.

— Je ne verrouille pas la porte, annonce Robin qui se dirige vers son vélo. Comme ça, je n'aurai pas à revenir plus tard pour vous ouvrir...

— Il faudra tout de même que tu viennes refermer quand il aura pris les jambes à son cou, s'écrie Voyer dans une ultime attaque, mais sans conviction.

— Ne t'en fais pas, Robin, que je réplique en me penchant sur ma bicyclette à mon tour. Tu nous trouveras encore ici demain au milieu de la matinée.

Fabrice soupire de nouveau comme s'il agonisait.

14

Dans l'après-midi du samedi, je m'efforce de rassurer Fabrice et Anoushka qui n'en mènent pas large. Décidément, les croyances populaires ont plus de force que la bonne et solide logique. Si je ne parviens pas à apaiser tout à fait mes amis, au moins, je convaincs Fabrice de poursuivre le pari.

— N'oublie pas que c'est toi qui m'as entraîné dans cette histoire. Maintenant, il n'est plus question de reculer. Je n'ai pas envie d'avoir l'air d'un dégonflé et, surtout, plus que jamais, il faut vous prouver...

Je pointe un index vers Fabrice, puis vers Anoushka à tour de rôle.

—... à toi comme à toi, que la maison, dont vos parents s'apprêtent à devenir acquéreurs, n'abrite pas de fantômes.

— Oui, Tristan, approuve Fabrice.

— Et tu sais pourquoi ?

— Pourquoi quoi ?

— Pourquoi elle n'abrite pas de fantômes ?

Son expression un peu niaise et son air interloqué, quasi permanent, m'agacent un brin. Heureusement que je l'aime bien, ce gros toutou benêt, sinon je perdrais patience. Je réponds à sa place en ouvrant deux mains devant moi pour évoquer l'évidence :

— Parce que les fantômes, ça n'existe pas !

— Que tu dis ! Que tu dis ! psalmodie Anoushka, les yeux au plafond, les bras croisés sur sa poitrine, ses mains frottant énergiquement ses bras comme Sonia quand elle a froid. Tu essaies de nous convaincre de tes réflexions rationnelles, mais avec ce que je viens de voir, il me semble bien que la caméra a prouvé le contraire.

— La caméra n'a rien prouvé du tout ! dis-je, au bord de l'exaspération.

— Toi-même, tu avoues ne pas comprendre d'où sortent les étranges formes floues.

— Ça n'atteste pas la présence d'un revenant pour autant.

— Eh bien, à moi, si !

Pour la première fois, je ne trouve plus rien de séduisant à cette fille. Ni sa peau blanche, ni ses yeux pâles, ni son abondante chevelure rousse... et encore moins son odeur de cheval. Je la trouve bête et immature, comme j'aurais toujours dû la trouver si, pour une raison mystérieuse, mon cerveau ne s'était pas mis à générer ces fluides chimiques qui rendent amoureux. Je me réjouis de constater que mes atomes crochus s'essoufflent et que, finalement, cette cruche m'émeut moins qu'auparavant.

Il n'y a que son frère pour qui je continue d'éprouver beaucoup de sympathie – autre mystère biochimique. Mais, au moins, ce phénomène m'apparaît hautement plus acceptable et agréable.

— Bon, fais-je en m'ébrouant. Inutile de convaincre un raëlien qu'il attend vainement les soucoupes volantes. Fabrice...

Le gros garçon redresse un peu ses épaules tombantes. Je poursuis :

— Tu as dit quoi à tes parents pour ce soir ?

— Que je vais dormir ailleurs.

— Parfait. Alors, cet après-midi, prépare ton sac de couchage et tes effets de toilette. On se rejoint à la maison des Turgeon-Hébert après le souper. Ça te va ?

Il ne prononce pas un mot, mais acquiesce en hochant la tête.

— Ne sois pas en retard.

Une fois de retour chez moi, j'entre dans la cuisine, croyant y trouver papa. Sans surprise, je découvre Annie. Debout au comptoir, elle finit de trier des restes récupérés dans le réfrigérateur. En m'apercevant, elle dit :

— Je suis en train de te préparer un souper pas trop dégueu. Il te suffira de le placer au micro-ondes.

Cette femme est toujours tirée à quatre épingles, mais là, avec cette petite robe qui fait ressortir sa peau bronzée, avec son maquillage qui met ses yeux bleus en valeur, et avec sa coiffure recherchée, je dois avouer qu'elle est resplendissante.

— Wow ! dis-je à mi-voix. Tu es vachement belle !

— Tu trouves ? minaude-t-elle en tournant sur elle-même et en faisant claquer ses lèvres pulpeuses qui ont un peu trop de rouge à mon goût.

— Je trouve. Tu sors ?

— Comme tu vois.

— Un rendez-vous ?

Elle sourit, les yeux très grands, en agitant la tête dans une affirmation énergique. Elle confirme :

— Un souper au resto.

— Avec ce type, là... le dentiste... Comment il s'appelle ?

— Ah non ! s'insurge-t-elle en revenant aux restes sur le comptoir. Pas celui-là. Je ne le vois plus depuis des semaines.

— Un nouveau copain ?

— Pas un petit ami, non. C'est un premier rendez-vous. Mais j'espère bien qu'il le deviendra. En plus, tu le connais.

— Vraiment ?

Elle se tourne vers moi, un plat en plastique dans les mains.

— C'est Jérémie Lemaire. Le directeur de ton école.

Je sens un frisson parcourir mon échine de haut en bas. Je perds mon air réjoui et réplique en balbutiant :

— Le di... le directeur de mon école ? Tu n'es pas sérieuse ?

— Si. À cent pour cent.

Oh, non ! Mes pires craintes se réalisent. Annie revient face au comptoir en soupirant avec bruit comme une adolescente en mal d'amour.

— Il m'a appelée, Tristan. C'est lui qui m'a invitée. Oh, il est tellement beau !

— Mais... mais c'est... Il t'a vue en ma compagnie... Il sait que tu...

— Que je suis ta mère adoptive, oui.

— Je veux dire... il sait...

Elle pivote de nouveau vers moi, les sourcils relevés en forme de tilde. Il y a tant de tristesse soudain dans ses yeux que je ne poursuis pas ma pensée. Je ne tiens pas à être responsable des désillusions d'Annie.

Elle m'enlace la tête en m'attirant vers elle. Je crois qu'elle agit ainsi pour ne pas que je voie les larmes qui perlent au bord de ses paupières. Je blottis mon visage contre ses épaules délicates. Elle sent encore le même parfum que portait maman. Ça me fait toujours tout drôle, ça.

Elle murmure d'une voix retenue :

— Je veux juste passer un bon moment, Tristan. Avec lui. Avoir une vie sentimentale normale.

— Oui, mais quand même, c'est mon directeur d'école. Je le croise tous les jours. Il... je...

— Et puis ? Peut-être... peut-être qu'il tombera amoureux de moi. Je suis belle. Je suis gentille...

— Tu lui avoueras la vérité ?

Annie hésite avant de répondre.

— Sans doute. Mais... mais pas tout de suite.

Je ne peux m'empêcher de répéter à mi-voix.

— Mon directeur d'école !

Annie me serre plus fort contre elle.

— Je ne sais pas quoi faire, Tristan. Sincèrement.

Elle a un hoquet, probablement un sanglot réprimé, puis reprend :

— Je veux juste être heureuse.

À mon tour, je l'étreins avec ardeur pour bien lui montrer que, quoi qu'elle fasse, quoi qu'elle pense, je suis de son côté. Perturbé, les yeux fermés, j'oublie qui elle est et je murmure :

— Je t'aime, papa.

— Quand je suis en fille, appelle-moi « Annie ».

15

À LA MI-OCTOBRE, LE SOLEIL SE COUCHE TÔT. JE COMMENCE À AVOIR DRÔLEMENT FROID SUR LA BALANÇOIRE DES TURGEON-HÉBERT. Je rage contre Fabrice qui s'est dégonflé. Voilà au moins dix minutes qu'il devrait être ici. Je n'attendrai pas d'attraper un rhume. Je dormirai seul dans la maison s'il le faut.

Je quitte la balançoire pour me pencher sur mes affaires posées par terre... quand j'entends enfin le grincement de son vieux vélo.

— Tu es en retard, dis-je simplement en ne le gratifiant que d'un coup d'œil à la dérobée pour signifier mon mécontentement.

— Désolé. Je... C'est Anoushka. Elle essayait de me convaincre de ne pas venir.

Je me redresse avec mon sac à dos en bandoulière et mon sac de couchage dans les bras. Je fronce les sourcils et répète :

— Anoushka ? Elle ne voulait pas que tu viennes ?

Fabrice appuie son vélo à la balançoire puis s'attaque à son bagage à son tour.

— Elle a peur que le fantôme m'assaille. Elle a juste tenté de me protéger.

— Elle ne craint pas quelque chose pour moi aussi ?

— Non. Elle prétend que, toi, tu peux te débrouiller tout seul.

Je grogne en m'engageant d'un pas résolu en direction de la porte d'entrée.

— Ah, bravo, cette fille ! Dire que c'est pour elle, surtout, que j'ai relevé ce défi enfantin.

Nous pénétrons dans la maison. Familier maintenant avec le lieu, ni les objets abandonnés par les morts ni l'odeur de renfermé ne me dérangent. Même Fabrice se dirige sans trop d'hésitation vers la pièce où nous passerons la nuit.

— Le plancher a fini par sécher, fais-je remarquer en pointant le faisceau lumineux de ma lampe de poche sur le pied de l'escalier.

Nous déposons notre matériel aux emplacements utilisés par les deux *Mousquetaires*, la veille. Je récupère une chaise dans la cuisine et l'installe dans le coin où était la caméra. J'y place l'ordinateur qu'on m'a prêté et démarre le logiciel qui servira aux prises de vues.

— J'ai apporté une lampe, dit Fabrice. On peut la laisser allumée toute la nuit. Ce sera plus... moins...

— Moins épeurant ?

Je ris puis reprends :

— Je dors mal avec de la lumière, mais bon, si ça peut te rassurer. Par contre, bouche la fenêtre pour être certain que personne ne verra la lueur de la rue.

Fabrice se tourne vers les vitres d'où filtre l'éclat des étoiles.

— Si la lune nous éclairait...

— Plus tard, vers minuit. C'est le dernier quartier à un jour près.

Il se résigne à laisser la lampe dans son fourre-tout.

— Je ne veux pas qu'on bloque la fenêtre et me sentir complètement coupé de l'extérieur.

— On n'en dormira que mieux, dis-je en étalant mon sac de couchage sur le sol.

Nous mettons encore plusieurs minutes à nous installer tout à fait puis, chacun assis en lotus, nous nous faisons face.

— On fait quoi, maintenant, sans lumière ? demande Fabrice. On ne peut pas écouter la télé ni lire ni naviguer sur Internet...

— Horreur ! Comment était-il possible de vivre avant l'électricité ?

Mon gros copain rit. Je suis content. Je veux qu'il se détende, qu'il cesse de penser au fantôme. De mon côté, j'aimerais bien arrêter de songer à papa et à son rendez-vous avec le directeur de l'école. Hou-la-la ! Que se passera-t-il quand monsieur Lemaire comprendra que la jolie Annie est en réalité un homme ? Sera-t-il furieux ? Très furieux ? Ou hypermégagigantesquement furieux ?

Je dois occuper mon esprit à autre chose. Je demande à Fabrice :

— Tu veux que je t'explique le big bang et la théorie de la relativité d'Einstein ? Ça nous fera passer le temps en attendant l'heure de dormir.

— Tu ne connais pas plutôt une histoire rigolote avec des animaux de la ferme ?

Je ne sais pas à quelle heure nous décidons de nous glisser dans nos sacs, Fabrice et moi, mais nous avons déjà battu depuis un bon moment le temps passé dans la maison par Michel Voyer et Antoine.

— On pourrait partir, maintenant que nous avons gagné, propose Fabrice.

— Le but n'est pas de battre un record de durée, mais de prouver qu'il n'y pas de fantôme ici. La seule façon d'y parvenir, c'est de persister toute la nuit.

— Ah.

136

Il regarde autour de lui, incertain, et il demande :

— Tu viens avec moi aux toilettes ? Juste le temps de faire pipi ?

— Il n'en est pas question !

— Pas besoin d'entrer avec moi. Il te suffit de rester à la porte.

— Mais enfin, Fabrice...

— S'il te plaît ?

— T'es vraiment un gros bébé !

Nous allons faire pipi à tour de rôle, puis retournons dans la chambre nous glisser dans nos sacs.

— Bonne nuit, Tristan.

— 'Nuit.

J'ai la chance de pouvoir m'endormir facilement et rapidement. Ce soir ne fait pas exception aux autres soirs, même si j'ai le cerveau préoccupé par le souper de mon père au restaurant. Je m'abandonne au sommeil sans une pensée pour le fantôme qui, à cette seconde exacte, terrorise l'esprit fragile de mon ami Fabrice.

Nous sommes au milieu de la nuit lorsque celui-ci me tire des songes dans lesquels je suis plongé profondément. Il me secoue par l'épaule.

— Tristan, réveille-toi ! chuchote-t-il. Tristan !

— Humm... 'Qu'y a ?

— Écoute le bruit.

Je me dresse sur un coude en tendant l'oreille. Par la fenêtre, la lune jette sur nous une lumière laiteuse.

— Je n'entends rien, dis-je au bout d'un moment.

— Ça a cessé.

Fabrice a le nez dirigé vers le plafond. Je demande :

— C'était quoi ?

— Comme quelqu'un qui marche en traînant les pieds. Ça venait du deuxième étage.

— Pas de bruit de chaîne ?

— Euh, non, pourquoi ?

— Alors, ce n'est pas un fantôme, fais-je en réintégrant mon sac de couchage.

— Je suis sérieux, Tristan.

— Moi aussi. Rendors-toi.

Ça prend plusieurs secondes avant que je l'entende obtempérer. Il respire fort, rapidement.

— Calme-toi, dis-je de ma voix la plus amicale. Sinon, tu vas faire de l'hyperventilation.

— De ?... C'est grave, ça ?

— Ça veut seulement dire que tu auras trop d'air dans tes poumons. Tu seras étourdi et mal à l'aise.

— D'accord.

Je ressens un élan d'affection pour ce gros ours candide lorsque je perçois ses efforts pour retenir son souffle puis respirer à petites doses. Je pourrais tenter de le réconforter avec toutes sortes de formules préfabriquées, mais je chasse cette idée. Selon moi, la meilleure façon de prouver ma propre assurance est de montrer de l'indifférence envers les bruits normaux d'une maison soumise aux changements de températures de la nuit.

Peut-être aussi que ce que Fabrice a entendu vient des bestioles – écureuils, rats, marmottes, ratons laveurs, quoi encore – lesquelles je le soupçonne, ont établi leurs quartiers dans cette demeure. Je me rendors. Et me réveille beaucoup plus tard, toujours à cause de Fabrice.

Il ronfle.

L'aube, déjà, a repoussé les étoiles. La fenêtre jette une lumière mauve, annonçant le lever du soleil.

Je sors de mon sac de couchage et lance un rapide coup d'œil à l'ordinateur. La lueur verte au-dessus du moniteur m'indique que la caméra poursuit son travail, impassible. Parfait.

Tandis que mon gros copain dort toujours, je veux en profiter pour me rendre aux toilettes sans qu'il m'attende derrière la porte. Je l'enjambe et, comme je vais me diriger vers la sortie, je note une tache sur le tapis. Je me penche et en découvre trois autres, plus petites, de couleur verte, tout près de l'endroit où repose Fabrice dans son sac de couchage.

Je ne me souviens pas les avoir remarquées avant. Pourtant, elles devaient déjà être là. Intrigué, j'y porte les doigts... et constate qu'il s'agit de peinture fraîche ! Incrédule, je fixe mon index au bout maculé.

Mais d'où peuvent venir ces... ?

Je mets un genou à terre, fouille du regard les vêtements, sacs et autres objets de toilette que Fabrice a laissés pêle-mêle autour de lui avant de s'endormir. Rien qui puisse avoir provoqué ces salissures sur le tapis au cours de la nuit.

Tout à coup, une idée se forge dans mon esprit et elle m'apparaît si farfelue que j'en deviens étourdi. J'ai l'impression que la pièce tourne autour de moi tandis que mon cœur fait un bond.

Ce n'est pas possible !

Sans prendre garde de réveiller mon ami, je sors de la chambre en courant et monte quatre à quatre l'escalier. En arrivant au deuxième étage, la première chose que je vois est la bouteille d'eau vide à l'autre bout du couloir – car nous n'avons pas pris la peine de la ramasser. Je m'en désintéresse aussitôt pour entrer dans l'atelier de la peintre. Sans hésiter, je me dirige vers le tableau.

Là, sincèrement, même si je suis le plus rationnel des garçons, je dois avouer que je sens mes cheveux se dresser sur ma tête.

Sur la toile inachevée qui trône toujours au même endroit, sur le chevalet, la plupart des arbres qui, la veille, étaient esquissés au fusain sont maintenant peints de toutes les nuances de vert !

16

CE N'EST PAS DANS MA NATURE D'AVOIR PEUR, ET ENCORE MOINS DE CROIRE AUX FANTÔMES ! S'il y a une explication logique au phénomène du tableau qui se colore tout seul, je vais la trouver.

Je redescends l'escalier et reviens dans la pièce improvisée en terrain de camping. J'y découvre Fabrice, assis sur son sac de couchage, les yeux encore bouffis de sommeil, en train d'ébouriffer sa tignasse matinale. Sur sa joue, on voit les traces laissées par le gilet en boule qui lui a servi d'oreiller.

— Tu me joues un tour ou quoi ? que je lance en guise de salutations au moment où je réintègre la chambre.

— H... hein ?

— Tu t'es amusé à peindre la toile en secret pendant la nuit ?

— Que... quelle toile ?

Il a vraiment l'air de se demander de quoi je parle.

— Là-haut ! Dans l'atelier de la peintre !

— Qu'est-ce que tu racontes, Tristan ? Je dormais. J'ai dormi près de toi toute la nuit.

— Ah bon ? Et les taches, là, à côté de toi ?

Du regard, il suit la direction indiquée par mon index. Il se penche puis fronce les sourcils en apercevant les marques vertes.

— Ce n'était pas là, hier, confirme-t-il à son tour en touchant les salissures. Crotte ! C'est encore frais. J'espère que je n'ai pas beurré mon sac de...

— Fabrice ! Oublie ton sac ! D'où viennent ces taches ?

Il lève vers moi des yeux qui passent de l'interrogation bête à une peur compréhensible. Bon, ce n'est pas tout à fait ce que je voulais, mais au moins, ça me convainc qu'il n'est pas coupable du tour dont je le soupçonne.

Du moins, pas un coupable *conscient*.

— Tu es somnambule ! que je lance pointant son nez du doigt.

— Hein ? C'est quoi, le rapport ? Je n'ai jamais marché sur un fil.

— Je n'ai pas dit « funambule », j'ai dit « somnambule ». Tu te lèves et tu agis pendant ton sommeil. Au matin, tu ne te le rappelles pas.

— Je m'en souviendrais, voyons ! proteste-t-il.

— Pas si tu ne te le rappelles pas, nouille ! Tu as profité du fait que j'ai un sommeil profond pour grimper au deuxième étage à mon insu et utiliser les pinceaux de la peintre.

— J'ai trop peur du fantôme pour monter là-haut tout seul !

— Mais tu dormais !

— Si je dormais, comment veux-tu que j'aie utilisé les pinceaux ?

Je lâche un grognement proche du rugissement autant pour exprimer mon impuissance que mon exaspération. Je pose les yeux sur l'ordinateur.

— Les photos ! La caméra t'a sûrement photographié. Nous allons...

Mais comme je m'apprête à saisir le portable, trois coups très forts retentissent dans la maison.

— Aaah ! s'écrie Fabrice. Le fantôme !

— Mais non, idiot ! C'est la porte. On frappe à la porte.

La veille, au moment d'entrer, j'ai verrouillé le loquet intérieur derrière nous, comme ça, machinalement. Je suis si perturbé que, pas une seconde, je songe au fait qu'il est beaucoup trop tôt pour que les *Quatre épais* soient déjà ici.

J'ouvre à la seconde même où je me dis que je ne devrais pas le faire sans avoir vérifié par une fenêtre qui se présente de si bon matin.

Mais il est trop tard. Quel soulagement en découvrant les quatre membres des *Trois mousquetaires* devant moi.

— Eh bien ! Vous êtes drôlement de bonne heure sur le piton. Je présume que vous pensiez surprendre la maison vide ?

— Il y a aussi un peu de ça, répond Voyer en me gratifiant d'un sourire qui ressemble davantage à une grimace.

— Et nous accueillir en vous moquant au moment où nous serions revenus en catimini ?

— Il y a un peu de ça, répète-t-il en gardant sa vilaine grimace.

Je note que les autres me regardent aussi avec une expression plus proche de la raillerie que de la déception d'avoir perdu un pari, mais je fais semblant de ne pas le remarquer.

— Désolé de vous décevoir, les gars, dis-je en voulant retourner à l'intérieur, mais Fabrice et moi avons passé toute la nuit dans la maison et nous avons dormi comme des marmottes.

— Non, reste dehors avec nous ! ordonne Voyer en m'attrapant par la manche et en m'obligeant à sortir dans la fraîcheur matinale.

— T'es *crackpot* ? On gèle, sapristoche !

— Plus question que je franchisse ce perron, déclare Antoine.

— Ni moi, renchérissent Marco et Robin à l'unisson – ce qui leur arrive souvent, preuve de leur manque de personnalité.

— Même si tu peux te vanter d'avoir passé toute la nuit dans la maison, fait Voyer en prenant garde, lui aussi, de ne pas traverser le seuil, ça ne signifie pas qu'il n'y a pas de fantômes. On a vu les photos, la preuve est faite. Alors, tu restes dehors avec nous.

— Entrez au moins dans le vestib...

— On a dit non ! tonne Voyer d'un ton étrange, marqué autant de colère que d'angoisse.

Et il secoue ma manche qu'il n'a toujours pas lâchée. Son expression est étrange, indéfinissable. J'y décèle une sorte d'allégresse retenue, mâtinée de malfaisance, de... je ne saurais l'expliquer. Ça m'intrigue au point de ne plus chercher à retourner sur mes pas. Il annonce :

— Si tu as si bien dormi, alors c'est ton réveil qui te semblera pénible.

— De quoi, parles-tu ? Qu'est-ce que tu as à me raconter, ce matin ?

— Tu lui dis, Marco ?

Ce dernier fait un pas en avant. Il tient son téléphone portable à la main.

— Hier soir, j'avais un souper de famille au restaurant.

— Tu nous l'as déjà dit, hier.

— J'y ai croisé notre directeur d'école. Tu sais avec qui il mangeait en tête à tête ?

Je reste coi. Il poursuit :

— Avec la nouvelle conjointe de ton père. Oui, oui, la même femme que j'ai aperçue en ta compagnie lorsque vous êtes allés rencontrer monsieur Lemaire dans son bureau.

— Ton père est cocu ? ricane Robin.

Antoine et lui rigolent en échangeant une tape avec leurs mains.

— Non, c'est encore plus drôle, déclare Voyer.

Il se tourne vers Marco et dit :

— Allez, raconte-lui. Moi, je ne peux pas. Cette histoire me fait trop rire depuis que tu me l'as contée ce matin.

Marco feint de prendre une mine sérieuse pour expliquer :

— Eh bien, il semblerait que la jolie conjointe de ton père ne serait pas sa... conjointe, en fait.

— Il n'est plus cocu, alors ? pouffe Robin.

— J'ai noté qu'elle ressemblait trop à son papa, poursuit Marco. Mêmes yeux, même sourire... comme une sœur.

— Dégueulasse ! s'exclament d'une même voix Antoine et Robin tandis que Michel Voyer a les yeux pleins de larmes tellement il se retient d'éclater de rire.

— Ainsi, entame Robin en prenant une fausse intonation outragée, le père de Tristan, ce sale cochon, coucherait avec sa propre sœur ?

— C'est ce que j'ai pensé, en effet. Surtout quand j'ai vu la femme en question confier quelque chose à Lemaire, ce qui a fait bondir celui-ci sur sa chaise. Je le pensais toujours lorsque je les ai suivis discrètement à leur sortie du restaurant tandis qu'ils gesticulaient dans le stationnement...

— Ça alors ! Quelle histoire ! s'écrie Antoine en faisant semblant d'être étonné – car il connaît déjà tous les détails de l'anecdote, bien sûr. Est-ce que tu continues de supposer qu'il couche avec sa sœur, ce porc ?

— Non, répond Marco. Je ne le crois plus du tout. Je m'étais trompé.

— Par exemple ! s'exclame Robin, les yeux ronds de surprise feinte. Et qu'est-ce qui t'a fait changer d'avis ?

— C'est quand j'ai vu la fameuse Annie, dans le coin sombre où Lemaire avait garé sa voiture, retirer sa perruque en criant : « Je suis une femme ! En dehors de ce déguisement, de ce faux-semblant, de cette voix rauque, je suis une femme ! Je suis simplement prisonnière d'un corps d'homme ! »

Je reste paralysé tandis que les quatre minables éclatent de rire en s'appuyant les uns sur les autres et en se tapant sur les cuisses. Je crois que je suis en train de vivre mon pire moment depuis la mort de maman. Pourtant, Marco, encore plié en deux, trouve moyen d'en rajouter :

— Le petit film que j'ai tourné à ce moment-là est vraiment génial ! On les voit se disputer tous les deux et...

Il s'interrompt pour tendre devant moi le moniteur allumé de son téléphone.

— Tu veux t'en rendre compte par toi-même ? La scène où ton père reçoit un coup de poing en plein sur la gueule est vraiment à se tordre.

La balançoire, le jardin, les cèdres tournent de plus en plus vite autour de moi et je finis par tomber par terre. En fait, je m'affaisse, non parce que je suis étourdi, mais parce que je me fais bousculer.

Par Fabrice.

Mon copain vient de foncer droit devant lui, les poings serrés et dressés comme des massues. Il vole à mon secours. Je pourrais en ressentir une vive gratitude, un fort soulagement... mais j'éprouve plutôt de la tristesse. Les *Quatre épais*, plus agiles, s'écartent avec facilité de sa trajectoire. Le garçon au physique de joueur de football, emporté par son élan, s'étale à plat ventre sur la pelouse

Puisque ça lui demande du temps pour se relever, ses quatre adversaires ont amplement le loisir de lui sauter sur le dos. Je le vois disparaître sous une pluie de coups, poings et pieds confondus, qui ont raison, non seulement de lui, mais aussi de moi. Je me mets à pleurer comme je n'ai même pas pleuré quand maman est décédée.

Lorsque les quatre imbéciles délaissent le corps inanimé de Fabrice pour s'approcher de moi, je me fous complètement de ce qu'ils ont l'intention de faire. Ils peuvent bien me tuer là, s'ils le désirent, je m'en moque sincèrement. Moi, je veux juste en terminer avec la bêtise, la méchanceté, les mensonges, les fantômes, les directeurs d'école... et les papas qui auraient préféré être des mamans.

Mais ce qui m'attend est encore pire que les scénarios que j'ai imaginés.

— Écoute bien, le bamboula, car je n'ai pas l'intention de le répéter. Le film avec ton père, là, cette tapette qui s'habille en femme, les images où on le voit, non seulement se ridiculiser avec sa perruque et ses larmes, mais recevoir un bon coup de poing sur la gueule, on le garde précieusement. Si tu ne veux pas qu'il apparaisse sur Internet, je te conseille de ne plus jamais – *jamais* tabarnak ! c'est clair ! — te moquer de l'un ou l'autre de nous. Alors, ça signifie qu'Antoine et moi, on n'a jamais eu peur du fantôme, d'accord ? C'est la nouvelle version. Et les blagues de petit zizi, c'est terminé. Capiche ?

— Parles-y des notes, aussi ! intervient Antoine.

— Ah oui ! J'allais quasiment oublier le principal. D'ici la fin de l'année, c'est toi qui feras tous nos devoirs en sciences et en maths.

Tu vas également te débrouiller pour connaître d'avance les questions et les réponses de nos examens dans ces matières-là.

Je lève des yeux incrédules et Voyer comprend très bien mon interrogation muette.

— Ben oui, le bamboula ! Tu t'organiseras avec le directeur de l'école. Après tout, lui comme ton père ont intérêt à ce que la vidéo reste secrète, pas vrai ? Qu'on leur évite le scandale. Alors, à vous deux, vous devriez pouvoir récupérer ces données qui nous seront bien utiles, à nous, les *Trois mousquetaires*.

— Un seul mot à qui que ce soit, ajoute Marco, à la police, par exemple, et ce foutu film tourne sur Internet.

— Maudit nègre adopté ! me lance Robin avec une insulte que, jusque là, on m'avait épargnée.

— Nèèèèèèèègre, répètent les autres en accentuant la syllabe pour mieux exprimer leur mépris.

Et ils nous abandonnent, Fabrice et moi, lui, à son corps brisé, moi... à ce qui reste de moi.

17

EN DÉPIT DE MON PHYSIQUE D'INSECTE, JE PARVIENS À SOUTENIR FABRICE QUI S'APPUIE SUR MOI POUR RENTRER À L'INTÉRIEUR DE LA MAISON. Il se laisse tomber plus qu'il ne s'assoit sur son sac de couchage et il grimace de douleur à chacun de ses gestes. Je vais chercher de l'eau à la salle de bain et je nettoie le sang et le sable qui maculent son front, son nez, ses coudes et ses mains.

J'examine les bleus sur ses joues, ses côtes et ses jambes. Je ne crois pas qu'il ait quoi que ce soit de cassé.

— Mais demain, tu vas arborer un bel œil au beurre noir, lui dis-je.

Il hausse les épaules, le regard dans le vague. Il finit par répliquer, d'une voix lasse :

— Je ne suis même pas foutu d'utiliser mon physique pour aider mes amis. Qu'est-ce que je suis nul !

— Gros bêta ! Je t'avais pourtant dit que la violence ne mène jamais à rien, sinon à provoquer plus de violence encore.

Il tourne le regard vers moi et grimace un peu de douleur au moment où il fronce les sourcils :

— Tu ne m'as jamais dit ça. Pour la violence.

— Eh bien, j'aurais dû !

Un grand voile triste passe dans ses yeux tandis qu'il se remet péniblement sur pieds.

— Tu me trouves bête, pas vrai ? Qu'est-ce que tu fais avec moi ? Pourquoi restes-tu mon ami ?

En dépit des propres malheurs qui m'accablent, il m'émeut encore ce gros toutou.

— Et toi ? Pourquoi t'efforces-tu autant de venir en aide à un nègre adopté dont le paternel se prend pour une femme ? Pourquoi as-tu mangé cette volée pour lui ?

Il hausse les épaules.

— Je me fous que tu sois Noir ou orphelin ou que ton père soit différent ou que... ou que n'importe quoi. Moi, j'aime quand on est ensemble et que tu me racontes ces choses dont je ne comprends rien, ce big boum et ses atomes de galaxies.

— Gros bêta.

— Nègre adopté.

Nous rions. Sans nous regarder. Comme s'il y avait un malaise. Mais ça n'a rien à voir. C'est seulement qu'il n'est pas facile de s'avouer qu'on s'aime bien, qu'on est les meilleurs amis du monde.

— Je t'aime bien, réussit à prononcer Fabrice après un instant.

— Tu es mon meilleur... Non. Tu es le *seul* ami que j'aie jamais eu.

Et on reste là, un long, long, long moment à ne plus savoir qu'ajouter. Mais il n'y a sans doute rien de plus à dire.

— Tu peux marcher ? finis-je par demander.

Car je commence à avoir hâte d'aller retrouver mon père. Je suis inquiet pour lui.

— Ça ne me fait même plus mal, répond Fabrice en bougeant les bras et les jambes – et en retenant, tout de même, une grimace de douleur.

— T'es un sacré costaud.

— Je peux porter mon bagage aussi.

On commence à rassembler nos affaires. Au moment de glisser la bretelle de mon fourre-tout sur mes épaules, je remarque la lumière verte qui luit toujours dans son coin.

— Antoine a oublié son ordinateur.

— J'ai compris, dit Fabrice avec un petit sourire moqueur. Ajoute-le à mon barda.

— Tu n'es pas si bête, finalement.

18

À LA MAISON, UNE NOTE EST COLLÉE SUR UN COIN DE LA CRÉDENCE QUI SÉPARE LE SALON DE LA SALLE À MANGER. Je m'en approche sans manquer de saluer au passage le sourire de maman dans son cadre sur le mur. C'est un cliché de vacances, quelque part dans les tropiques, où elle est coiffée d'un chapeau de paille et vêtue d'une jupe frangée de fleurs. Les vaguelettes d'une mer turquoise roulent sur ses chevilles.

« Je suis allé faire un tour. Je rentrerai tard. Ne m'attends pas. Tu trouveras ce qu'il faut dans le réfrigérateur. Demain, je te promets un vrai repas. Papa. »

La salle de bain est un foutoir. Les articles de beauté d'Annie sont éparpillés sur le comptoir. La perruque et les faux cils sont dans la corbeille. Je présume que, à son retour du souper, Annie... ou plutôt papa a dû se défouler. Du noir à paupières trace des sillons humides sur le bord du lavabo. On dirait qu'il a beaucoup pleuré.

Où est-il maintenant ? Je suis inquiet. Je ne peux pas le laisser seul ainsi à sa détresse.

Je compose le numéro de son cellulaire. Sa voix me répond, mais par l'entremise de sa messagerie. Il doit pourtant bien vérifier son afficheur. Je sais qu'il ne ferme jamais son appareil.

Je suis trop inquiet pour attendre qu'il veuille bien redonner signe de vie. Je décide de partir à sa recherche. Je me doute pas mal de l'endroit où il se terre.

Mais c'est loin. À vélo, en tout cas.

J'ai un peu d'argent dans une enveloppe. C'est mon cadeau d'anniversaire. J'accumule pour m'acheter un télescope avec un grand miroir de huit pouces et une... Oui, bon. Je vais l'entamer et papa me remboursera à son retour. Tant pis pour lui !

J'appelle un taxi.

— Voilà. C'est ici.

Le chauffeur se tourne vers moi.

— Mais c'est le bout de l'infini de l'extrémité du monde, cet endroit ! Tu es sûr de vouloir que je te laisse là ?

À la lisière de la route de gravelle, entre deux bouquets d'arbres en partie dénudés, je distingue l'aile de la voiture de mon père.

— Il y a un petit chalet sur le bord du lac, dis-je au chauffeur. Ne vous en faites pas.

— Je peux t'attendre un peu, rien que pour être certain, insiste-t-il, bon génie. Je ne te ferai pas payer pour ça.

— Non, merci. Vous pouvez y aller.

Je paie, descends, patiente le temps que le taxi s'éloigne, puis m'engage dans l'entrée. Au détour de la haie de sapinages, je retrouve le lac assassin. Sa forme ovale se termine en pointe pareille à des commissures de paupières et rappelle un œil bleu géant. Comme il paraît innocent dans la lumière de ce dimanche d'automne !

Il y a longtemps que je n'étais pas venu là. Le chalet présente des indices de fatigue. La mauvaise herbe l'entoure, ses bardeaux ont pâli, certains se sont détachés. Des planches de contreplaqué clouées aux chambranles des fenêtres servent de volets clos en permanence. Je m'arrête à la hauteur de la galerie. Je fixe le point du lac où j'ai vu ma mère vivante pour la dernière fois. Parce que plus tard, sur le quai, quand je l'ai serrée contre moi, elle était déjà morte.

Au bout du quai où nous avions l'habitude de mettre la chaloupe à l'eau, je reconnais papa.

Il me tourne le dos. Il est assis les jambes pendantes, les pieds à dix centimètres des vaguelettes. Il ne porte plus la coiffe d'Annie, mais est toujours revêtu de la petite robe. Sa veste de cuir le protège de la brise un peu fraîche.

Quand mes chaussures résonnent sur le vieux bois du quai, il se retourne.

Il a les yeux à la fois rouge et noir à force d'avoir pleuré. Il s'empresse de passer le dos de sa main sur ses joues. Je lui souris. Il s'efforce de répondre de même, mais il a plutôt un rictus triste.

Douloureux.

— Comment m'as-tu trouvé ? demande-t-il lorsque je m'assois près de lui.

— Je me suis dit que, puisque tu devais avoir terriblement de peine, tu étais avec maman.

Il paraît plus étonné qu'affligé.

— Et comment savais-tu que j'avais beaucoup de peine ? J'ai provoqué un si grand fatras dans la salle de bain ?

Je lui raconte ce que j'ai appris par la bouche de Marco.

— Oh, mon Dieu ! murmure papa à la fin de mon récit, les doigts sur les lèvres, les yeux encore plus humides. J'ai vraiment foutu la merde !

Son bras autour de mes épaules, il me serre contre lui. Nous perdons notre regard dans l'œil bleu géant.

— Nous irons à la police pour dénoncer le chantage odieux de ces petits voyous.

— Ils vont mettre leur menace à exécution et publier la vidéo sur Internet.

— Je peux assumer mes erreurs. Il est temps que je sorte du placard. Que le monde entier sache que je suis transgenre. Je n'en peux plus de jouer deux rôles. Celui d'un père qui se sent une femme, et celui d'une femme avec un corps d'homme.

Il pose un baiser sur mes cheveux, puis se dédit.

— Mais non. Je ne le ferai pas. Sinon, pour toi, à l'école, ça sera insoutenable.

— Je pourrais très bien m'accommoder de changer d'établissement, papa, même en plein milieu de l'année scolaire. Le hic, c'est davantage monsieur Lemaire. Ce serait un coup terrible à lui faire. Que tous les étudiants le voient en train de perdre les pédales pendant qu'il met son poing sur la figure de quelqu'un qu'il croyait être une jolie femme.

Je lève le nez vers lui pour observer sa mâchoire mouchetée par le fond de teint à demi effacé. Je demande :

— Au fait, il t'a fait très mal ? Tu ne parais pas avoir d'ecchymoses.

Papa caresse son menton en faisant une moue.

— Non. Il m'a effleuré, seulement. Il ne voulait pas vraiment me blesser. Il a uniquement réagi comme il pense qu'un homme doit se comporter dans une situation pareille.

— Les poings sont plus lourds qu'un cerveau, dirait-on.

Il me serre contre lui et nos regards reviennent vers le lac.

— Si seulement ta mère était encore là. Tout ça ne serait pas arrivé.

Un doute étrange me gagne soudain.

— Elle était au courant, maman ? Pour toi, je veux dire. Pour ta... différence ?

— Stéphanie, Stéphanie... psalmodie papa dans un murmure presque inaudible.

Puis, plus fort, il poursuit :

— C'était ma meilleure amie. Elle n'ignorait rien de moi. Rien.

— Mais alors...

— C'est elle qui m'a proposé le mariage. La pression autour de moi devenait forte. Les rumeurs sur mon homosexualité commençaient à s'étendre. Stéphanie croyait me rendre service en jouant pour moi le rôle de paravent. Elle-même ne s'intéressait pas beaucoup aux garçons. L'idée avait l'avantage de faire taire également les commérages la concernant.

— Quels commérages ? Elle ne...

Je m'interromps. Une pensée vient de me soulever comme une bourrasque. Je me lève.

— Maman était lesbienne ?

— Non-pratiquante en fait. Comme un chrétien qui ne va pas à la messe.

— Maman était ?...

Il éclate de rire.

— Rassieds-toi. Qu'est-ce que ça change ? T'a-t-elle moins aimé pour autant ?

— Non, bien sûr. Mais...

— Mais quoi ?

Mais quoi.

Mais rien.

Je me rassois en émettant un petit ricanement stupide. Je me sens bête, au fond. Qu'est-ce que ça change, en effet ? Papa poursuit :

— Un soir de beuverie, sur un coup de tête, dans une grande réunion familiale, nous avons annoncé notre mariage. Explosion de bonheur chez les bourgeois. Le lendemain, dessoulés, ta mère et moi avons constaté qu'il était un peu tard pour revenir en arrière. Au lieu d'annuler le tout, nous avons continué à jouer le jeu. Après tout, nous étions bien ensemble. Deux amis qui s'amusaient follement. Elle n'avait pas l'intention de se mettre en couple avec une autre femme ni moi avec un garçon.

— Mais moi, papa, dans tout ça ?

— Toi ? Tu as été le plus beau cadeau qu'on ne s'est jamais fait, Stéphanie et moi. Plus encore que notre union conjugale ou que notre amitié, tu étais ce qui nous soudait vraiment l'un à l'autre. Nous avions un enfant à nous. Comme tout couple normal.

— Mais pourquoi vous avez adopté ? Vous auriez pu faire toute une trâlée de...

Je m'interromps pour lever mon regard vers le sien. Je fais :

— Non ? Ne me dis pas que vous... que jamais...

Il rit.

— Jamais.

— Même mariés ?

— Nous en étions incapables. Du point de vue... enfin, tu comprends... nous nous sentions comme frère et sœur... Bien que nous nous aimions autant qu'un homme et une femme puissent s'aimer.

Je ris sans joie en appuyant ma joue contre le bras de papa. Sa peau est douce comme celle d'une fille. De plus, il sent encore le parfum dont il s'est aspergé hier.

Le parfum de cette femme qu'il a tant chérie.

Je m'étonne – et me félicite — de la facilité avec laquelle j'accepte ces détails de la relation qui a uni mon père et ma mère. Un fils « normal » devrait-il s'offusquer ? Se rebiffer ? Se fâcher ? Dans l'affirmative, il faudrait m'expliquer pourquoi. Après tout, ce n'est pas comme si j'apprenais que mes parents étaient des criminels. Leur seule particularité aura été de vivre une liaison, une intimité, qui ne correspond pas au moule que nous impose la société. Ils se seront aimés à leur manière, en ajustant leur personnalité au mieux de leur environnement.

À bien y penser, je les trouve très chouettes. C'est formidable de se démarquer des autres. Moi, ça m'arrive tout le temps. Pas toujours à mon gré, mais bon, mes parents non plus n'ont pas choisi de naître gai ou lesbienne.

— Comme vous avez dû être malheureux ! dis-je dans un soupir, ému.

— Au contraire, dément mon père. Si tu savais comme nous avons été heureux, Stéphanie et moi. Je te parie qu'il y a bien peu de couples hétérosexuels pouvant se vanter d'avoir autant apprécié la vie avec leur conjoint.

Une fois de plus, il y a un long silence où nous observons le point où mon dernier souvenir de maman subsiste pour l'éternité. Maintenant que je connais un peu mieux la relation qui l'a unie à mon père, je ne les aime que davantage. Quelle complicité ils ont dû partager pour vivre leur amour en masquant à leur entourage qui ils étaient vraiment ! Quelle prison en même temps que celle d'être captif d'un corps qui ne correspond pas à ce qu'on éprouve en dedans de nous !

Je comprends mieux maintenant le besoin ressenti par papa, à l'occasion, de laisser exister Annie. Avant, sans doute se projetait-il à travers la présence de maman. Aujourd'hui, il peine à afficher l'homme qu'il n'est pas au profit de cette Annie qui est sa véritable nature.

— Comme je t'aime, papa !

— Je t'aime aussi, Tristan.

— Et comme je t'aime, Annie !

Nous venons à peine de réintégrer la voiture pour nous en retourner à la maison que mon téléphone cellulaire vibre dans ma poche.

— Allô ?

— Tristan, c'est moi.

— Salut, Fabrice.

— Tristan, il faut que tu viennes immédiatement chez nous.

La voix de mon ami m'apparaît vraiment catastrophée.

— Qu'est-ce qui se passe ?

— Il se passe que mes parents sont au courant.

Je jette un rapide regard à mon père, puis reviens poser les yeux sur les arbres.

— Au... au courant de quoi ?

— De la maison des Turgeon-Hébert. Ils savent que nous y avons dormi.

Puisque je pensais qu'il allait me parler de l'anecdote de papa et du directeur d'école, je me sens soulagé.

— Eh bien, tant pis. Mais comment ils ont su ?

— Je le leur ai dit.

— Ah ? Bon. Mais pourquoi ?

— Parce que ma sœur est en pleine crise et qu'elle menace de faire une fugue, de se suicider, si jamais ils mettent à exécution leur projet d'emménager dans cette demeure. Mon père a laissé un bon montant en dépôt à la Caisse Populaire Desjardins, alors, il perdrait beaucoup s'il décidait de ne plus acheter.

— Qu'est-ce qui lui prend, tout à coup, à Anoushka, d'être aussi catégorique ? Il me semble que nous lui avons bien prouvé que les fantômes n'existent pas.

Mon père me jette un coup d'œil intrigué, mais je fais comme si je ne le remarquais pas.

— Non, justement, Tristan. Nous lui avons démontré tout le contraire.

— Le contraire ? De quelle manière ?

— Tu te rappelles que j'ai l'ordinateur d'Antoine avec moi ?

— Oui.

— Viens voir les images que la caméra a captées au cours de la nuit. Mais je t'avise tout de suite, Tristan.

— De quoi ?

— C'est vraiment... vraiment *effrayant*.

19

J'EXPLIQUE À PAPA QU'IL FAUDRAIT QU'IL ME DÉPOSE CHEZ FABRICE. DÈS QUE POSSIBLE. Bien sûr, il est intrigué par ce qu'il a entendu de ma conversation au téléphone. Il aimerait bien savoir ce qui se passe. Puisque les parents de mon ami sont au courant, je ne vois pas pourquoi je devrais continuer à cacher notre inconduite à mon père.

— Confidence pour confidence, je...

— Ça ne t'évitera pas une punition si tu la mérites.

— Oh, ça va. Écoute.

Et je lui raconte le défi stupide des *Quatre épais*, le résultat de chacune de nos initiatives, les photos... je lui parle même de mon petit béguin pour Anoushka.

— Tu as fait tout ça pour impressionner une fille ? À treize ans ?

— Elle est super jolie. Tu l'as vue, déjà ; tu es d'accord avec moi ? Elle est jolie !

Je ne suis pas certain, mais on dirait que papa s'efforce de se retenir de pouffer. Ça me frustre un peu, aussi je tiens à ajouter :

— Mais je la trouve trop stupide maintenant ! Alors, si belle soit-elle, je me moque totalement qu'elle préfère les chevaux aux garçons.

Mon père ne réplique rien. Il conserve seulement cette expression équivoque de celui qui s'efforce de ne pas rire. Il finit par dire :

— D'accord. On se rend chez ton ami Fabrice. Je veux voir aussi ces images « effrayantes » qu'il tient à te montrer. Cependant, avant, on prend dix minutes pour passer par la maison. Je dois me débarbouiller et ôter cette robe.

Nous sommes accueillis par Pierre Marquis et madame Diane au comble de l'exaspération. Une tension est palpable entre l'homme et la femme, preuve qu'ils ne partagent sans doute pas la même opinion à propos des gestes de Fabrice ou de l'attitude d'Anoushka.

Ou des deux.

— Vous êtes au courant de l'initiative de nos jeunes coquins ? demande monsieur Marquis à papa.

Fabrice, immobile sous le chambranle d'une porte, à l'autre bout du vestibule, me fait un petit signe amical de la main. Je ne vois pas Anoushka. Mon père répond au paternel de mon copain :

— Oui, Tristan m'a tout conté. Je voulais un peu prendre leur défense en...

— Inutile, Jean-Michel, l'interrompt monsieur Marquis avec cette autorité propre à ceux qui ont l'habitude de commander – comme l'ingénieur en chef qu'il est. Je suis en parfait accord avec ce que Fabrice a fait. C'était pour prouver à sa gourde de sœur combien elle se fourvoyait.

— Nanouche n'est pas une gourde ! proteste la mère en s'adressant à son mari – et se tournant vers papa avec un sourire gêné. Ce sont plutôt les photos de Fabrice qui l'ont effrayée.

— Justement, c'est pour ça que nous sommes ici, intervient mon père. Fabrice a appelé Tristan pour lui proposer de les lui montrer.

— Oui, dit madame Diane. Il faudrait que vous les regardiez à votre tour. Venez !

C'est Pierre Marquis qui ouvre la marche en direction de la pièce au seuil de laquelle se trouve précisément Fabrice. Ce dernier me semble complètement remis de sa raclée. Je distingue une vague tache bleue près de l'œil.

Guère plus. En tout cas, ses gestes sont assurés. Il ne paraît pas souffrir.

Je me demande s'il a raconté ce détail à ses parents. Sans doute pas, sinon, il aurait fallu qu'il trahisse les raisons qui ont mené à cette raclée, c'est-à-dire parler d'Annie.

Nous entrons dans un petit boudoir aux murs couverts de photographies de chevaux : mustangs au galop dans une prairie, pur-sang sautant des obstacles, couples ou quatuors tirant des calèches... Une bibliothèque modeste trône dans un coin. Il y a des fauteuils et des causeuses contre chaque cloison, séparés par des tables supportant des lampes ou des fleurs. Anoushka est affalée dans une bergère, les yeux fixes, les lèvres blanches.

— Salut, Anoushka !

Si elle me regarde, elle ne me répond pas.

— Elle est encore terrorisée par ce qu'elle a vu, l'excuse madame Diane.

Et elle rejoint sa fille en se creusant une place sur le siège à légers coups de hanche.

Fabrice tire un tabouret face à une table où je reconnais l'ordinateur d'Antoine. Un économiseur d'écran fait tournoyer des spirales colorées. Pierre Marquis, papa et moi, nous nous installons en éventail derrière Fabrice.

— Chaque photo est séparée de la suivante de cinq secondes, précise mon ami en touchant le pavé tactile, ce qui a pour effet de souffler des arcs-en-ciel tourbillonnants.

En mode plein écran, Fabrice et moi apparaissons, assis en lotus sur notre sac de couchage. L'image est sombre, parsemée de pixels rouges. Puisque l'éclairage n'était pas adéquat, le logiciel a ajusté automatiquement le temps d'obturation de chaque prise à son maximum. Le moindre de nos mouvements a rendu les détails flous. Sur ce cliché, par exemple, Fabrice m'écoute attentivement : il est assez bien représenté. Moi, par contre, qui utilise beaucoup les mains pour parler, on dirait que je n'ai pas de bras.

Fabrice appuie sur la touche « flèche vers la droite » pour passer aux images suivantes. Ici, c'est moi qui suis au foyer et Fabrice qui est flou. Là, c'est ma tête qui disparaît sur mon corps pourtant bien visible – je devais hocher le crâne pour dire non. Là, c'est Fabrice qui est indistinct...

Le défilement dure ainsi un moment et je commence à trouver l'exercice répétitif quand, enfin, nous tombons dans la série de photos où nous sommes endormis, Fabrice et moi. La lumière de la lune et le fait que nous soyons immobiles accentuent la qualité des images. Le doigt de mon ami continue de faire s'enchaîner les clichés jusqu'à une scène étrange sur laquelle il s'arrête.

— Ici ! s'exclame monsieur Marquis. Vous voyez, Jean-Michel ?

Papa se penche vers l'écran et je l'imite. Dans l'embrasure de la porte on distingue une forme vaporeuse qui n'était pas là sur l'image précédente.

— Un reflet ? s'interroge mon père à voix haute.

— C'est ce que je crois aussi, dit Pierre Marquis. Même si, sur les autres photos, il se déplace. Continue, Fabrice.

Mon ami passe au cliché suivant. Celui-ci montre que, cinq secondes plus tard, ledit reflet est entré dans la pièce où nous dormons. Cette fois, la forme apparaît vaguement humaine, avec une tête et des épaules.

— C'est quelqu'un qui bouge rapidement. C'est la raison pour laquelle ça reste flou.

— C'est parce que c'est un fantôme... clame dans notre dos la voix d'Anoushka qui prononce ses premières paroles depuis notre arrivée.

— C'est le spectre d'un nain, alors, que je fais remarquer. Car il ne semble pas bien grand.

Au lieu de détruire son hypothèse, je viens de donner des munitions à Anoushka. Elle riposte rapidement :

— Et tu penses vraiment qu'il y a un nain qui se promène la nuit dans cette maudite maison ?

Non, bien sûr. Mais je n'ajoute rien. Anoushka insiste :

— Je ne vois rien d'autre qu'un... qu'un revenant pour produire ces images ! Un lutin, peut-être.

— Nanouche, franchement ! s'écrie la mère.

— Continue, répète Pierre Marquis à Fabrice, les dents serrées, mais sans répliquer à sa fille. Les photos intrigantes ne sont pas loin. J'ai hâte d'avoir l'avis de Jean-Michel et de Tristan.

De cinq secondes en cinq secondes, nous voyons apparaître puis disparaître le reflet qui, étrangement, ne se trouve jamais dans les mêmes angles des clichés. Et si ce n'est pas un reflet, alors c'est effectivement un nain qui se déplace sans cesse, rendant sa silhouette floue.

Ce qui me paraît aussi absurde qu'un lutin fantôme.

— Ici, fait remarquer Fabrice en se tournant à demi vers moi, ça ressemble drôlement à ce qu'on a repéré la fois où Michel et Antoine sont partis en courant. Tu sais, sur les enregistrements que nous avons examinés par la suite, on observait un... une chose assez semblable à celle-ci, comme un visage avec des yeux...

J'avoue qu'il n'a pas tort. Je fronce les sourcils, mais ne prononce pas un mot.

C'est plutôt à l'image suivante que je réagis.

— Sapristoche !

Mon père lui-même échappe un hoquet de surprise – ce qui ne semble pas plaire à monsieur Marquis.

— Hein ? Qu'est-ce que je vous disais ? clame la voix d'Anoushka, un peu trop aiguë à mon goût. Vous avez une explication pour cette photo-là ? C'est encore un reflet ?

Sur l'écran, on nous distingue très bien, Fabrice et moi. L'angle de la caméra expose notre tête à l'avant-plan et nos pieds vers le fond. Nous sommes profondément endormis, l'un près de l'autre, baignés par la lumière de la lune. Je suis étendu sur le dos, le tissu de mon sac de toile sur le menton. Fabrice est allongé sur le côté droit, son visage tourné vers moi.

À cinq centimètres derrière lui, couchée en cuiller, repose une forme humaine, vaguement vaporeuse, un peu luminescente, coiffée de cheveux éthérés, sans véritables bras, mais prolongée par deux jambes menues aux pieds délicats.

Aussitôt, je pense aux étranges taches vertes repérées exactement à cet endroit et au curieux tableau qui se peint de lui-même, nuit après nuit.

Muets, nous regardons les images que Fabrice continue de faire défiler. La silhouette est toujours étendue derrière lui, pose après pose, pendant ce que j'estime à dix-huit ou vingt minutes. Soudain, en une prise, elle disparaît !

Plus rien. Nous nous retrouvons seuls, Fabrice et moi.

Comme si cinq secondes avaient suffi pour renvoyer dans le monde des Ténèbres le spectre qui a dormi avec nous !

20

LUNDI MATIN. UNE PLUIE LOURDE ET FROIDE A CHASSÉ L'ÉTÉ INDIEN POUR VENIR FRAPPER LES VITRES DE LA CLASSE DE MATHÉMATIQUES. Depuis un moment, monsieur Urge s'efforce d'illustrer au tableau une équation algébrique à deux inconnues par combinaison linéaire. C'est d'une facilité déconcertante, et pourtant, il semble bien que je sois le seul du groupe à voir apparaître les valeurs de X et de Y sans avoir à utiliser un crayon et une feuille – ou une calculette.

Monsieur Urge interrompt ses explications pour sermonner Michel Voyer en train de déranger Caroline.

— Méssieux Foyer, comment foulez-fous passer cé cours si fous pertez votré temps à tsiconner ?

— À quoi ?

— À zigonner, qu'il dit, le Hongrois, traduit Robin, en lançant un bout de gomme à effacer en direction de Patricia Pellerin, une petite binoclarde tranquille assise au fond.

— C'est tça ! À tsiconner ! Té quelle façon comptez-fous faire augmenter fos notes ?

Je réponds intérieurement : « Par le chantage. »

Voyer se prépare à répliquer je ne sais quelle insanité lorsque le haut-parleur du système de communications internes se met à grésiller au plafond de la classe.

— *Monsieur Tristan Berthiaume est demandé au bureau du directeur. Immédiatement !*

C'est la voix de la secrétaire de l'école. Eh, flûte !

D'instinct, je me tourne vers Voyer. Je n'aime pas le sourire en coin qu'il me renvoie. Soit il se moque de moi parce qu'il sait que monsieur Lemaire va me parler d'Annie, soit il célèbre sa victoire parce qu'il a déjà fait part de son chantage au directeur. Dans les deux cas, je n'ai pas à me réjouir.

— Allez-t-z'y méssieur Perthiaume. Contrairément à pien tes ignorants té cette classe, fous poufez fous permettré uné pétite apsence.

C'est d'un pas lent que je franchis la distance qui sépare le local de maths du bureau du directeur. Pour une fois, le couloir de l'école me paraît court. Très court.

— Vous vouliez me voir, monsieur Lemaire ? que je demande après qu'un « Entrez ! » bien sonore ait répondu à mes trois coups discrets à la porte.

Pour toute réplique, l'homme me désigne une chaise devant son bureau, sans me regarder, occupé à noter je ne sais trop quoi sur une feuille. Je m'assois. Il s'écoule plusieurs secondes où je n'entends que le crissement du stylo sur le papier et les déplacements de la secrétaire dans la pièce à côté.

Je cherche à étudier les traits du directeur afin de déterminer son humeur, mais puisqu'il garde le nez sur sa feuille, je ne peux guère contempler que son toupet abondant, ses oreilles un peu rouges et ses sourcils en ligne droite, sans expression.

Quand il cesse d'écrire et qu'il abandonne son stylo sur le bureau, il met encore deux ou trois secondes avant de lever enfin les yeux sur moi. Je me sens fondre sur ma chaise, non pas parce que je lis de la colère dans ses pupilles, mais parce que, justement, je ne parviens pas à déceler quoi que ce soit. Il me semble que ce serait plus facile pour moi de me préparer à recevoir un bon coup de gueule plutôt que de rester à demi sur la défensive en me demandant ce qui m'attend.

Sa voix apparaît aussi neutre que son regard quand il dit :

— Tu dois te douter de la raison pour laquelle je t'ai fait venir dans mon bureau en ce lundi matin.

— Euh...

— Ton père.

— Ah.

— Et... Annie.

— Oh.

Il se cale dans son dossier, ce qui l'éloigne un peu de moi. J'en ressens un curieux soulagement comme si j'avais craint une gifle. Pourtant, on sait bien qu'il ne se serait pas abaissé à une telle chose. Il joint les mains, referme les doigts l'un sur l'autre, ne gardant que ses deux index relevés avec lesquels il tapote ses lèvres. Les yeux rivés sur moi, je sens qu'il s'efforce de paraître détaché, mais un léger tic à la commissure de ses paupières trahit son embarras.

— Tu le savais ?

— Euh... quoi donc, monsieur Lemaire ?

— Que je devais aller au restaurant avec ton p... avec Annie, samedi soir ?

— Mon père m'en a parlé dans l'après-midi, oui.

Ses index pincent distraitement sa lèvre inférieure pendant qu'il continue à me fixer. Je ne sais trop s'il s'attend à ce que je précise ma pensée à propos de ce dont j'avais été mis au courant, toutefois, je reste coi. Il finit par déclarer :

— Tristan, ce que vous avez tu, ton père et toi, n'est pas digne de la confiance que vous exigiez de moi.

— Je suis désolé, Monsieur. Sincèrement.

— Tu aurais dû me faire part de réticences, de réserves, quitte à me mentir sur la disponibilité d'Annie quand je t'ai fait part de mon intérêt pour elle.

— Je sais, Monsieur. Mais j'ignorais quoi répondre. Ce n'est pas facile, ces situations.

Il me fixe encore un moment en silence avant de concéder :

— Tu as raison sur ce dernier point. Tu es tellement intelligent qu'on oublie souvent que tu n'as que treize ans. Que certaines circonstances te dépassent.

— Toutefois, je souhaiterais que vous n'en vouliez pas à mon père. Sa vie n'est pas si simple. Elle ne l'a jamais été. Ce n'est pas un pervers, c'est... il est seulement...

— Je comprends très bien ce qu'est ton père, Tristan. C'est une femme malheureuse.

Une femme ? Ça me fait drôle de l'entendre dire d'une autre bouche que celle de papa. Je n'en ressens pas de l'embarras, bien au contraire ! J'en éprouve une grande chaleur, juste là, à l'intérieur du cœur.

— Merci d'être si compréhensif, Monsieur.

— Je ne suis pas compréhensif, Tristan. Réaliste.

Je baisse le menton. Il reprend :

— Et parce que je suis réaliste, je sais que c'est moi qui dois m'excuser auprès de lui.

Je relève la tête aussitôt avec, à la racine du nez, un pli exprimant ma confusion. Il poursuit :

— Ton père... c'est-à-dire *Annie* et moi, chacun charmé d'être avec l'autre, avons un peu abusé du champagne lors de notre souper au restaurant. Si cela a provoqué chez lui... chez elle, sa sortie de placard et sa petite crise d'amoureuse éconduite, l'alcool est le prétexte que j'invoque également pour l'avoir frappée. Je ne suis pas fier de moi. On n'a pas le droit d'agresser les gens ainsi. Surtout une femme. Je m'excuse auprès de toi, et j'aimerais le faire auprès d'Annie.

— Vous... Je... Nous...

Il ne me laisse pas exprimer les sentiments à la fois confus et soulagés qui m'habitent. Il poursuit :

— Et, toujours parce que je suis réaliste, et à cause de ce qui s'est produit, je sais que... que nous avons un sacré problème sur les bras.

— Vous voulez dire ?...

— Michel Voyer.

— Il vous a parlé ?

— Ce petit voyou, ce matin, m'attendait sous le préau en compagnie de ses trois acolytes. « Vous êtes en retard à votre premier cours, que j'ai lancé, d'entrée de jeu. » « Oublie le cours, Lemaire, que le petit salaud m'a répliqué, on a à te parler. »

— Il... il n'a pas dit « monsieur » ? Il vous a appelé par votre nom de famille ?

Le directeur éclate d'un petit rire sans joie avant de répondre :

— Il était sûr de lui, pas vrai ? Et pour cause ! Une fois dans mon bureau, l'un de ses comparses... c'est quoi son nom de famille, à celui-là ? Marco, qu'il se prénomme... Qu'importe ! Ce faire-valoir m'a montré le petit bout de film qu'il a tourné samedi soir. Tu es au courant, pas vrai ?

J'avale ma salive et opine du chef.

— Donc, tu sais que les *Trois mousquetaires* cherchent à nous faire chanter, toi et moi ?

Je hoche toujours la tête.

— Annie est au courant aussi ?

J'acquiesce encore de la même manière.

— Tu as une idée de ce qu'il faut faire ?

— Aucune, monsieur.

— Annie... ton père, il dit quoi ?

— Je n'en sais trop rien. Je crois qu'il se moque un peu qu'on apprenne qu'il est... vous savez, un « transgenre ». Surtout qu'il a coupé les ponts avec sa famille et celle de ma mère depuis qu'il est veuf.

— Ah bon ? Et toi ? Tu ne vois donc jamais tes grands-parents, tes oncles, tes tantes... ?

— Je n'ai plus de grands-parents depuis longtemps. Quant aux frères et sœurs des côtés maternel et paternel, ils ne sont que trois ou quatre. Ils se sont dissociés d'un enfant noir adopté quand mon père a claqué la porte.

— Je vois.

— Monsieur Lemaire, il y a une chose que je sais, une chose très importante : papa... je veux dire, *Annie* ne tient pas à vous nuire. Certainement pas. Elle vous aime... aime bien, vous savez. Quelle que soit la décision que vous prendrez à propos des *Quatre épais*... des *Trois mousquetaires*, pardon, elle vous *appuiera*. Donc, si vous choisissez de vous plier à leur chantage et d'exiger ma participation, son accord vous est consenti d'avance. Si, au contraire, vous préférez le risque de voir le film diffusé sur Internet, mon père... Annie vous appuiera de toutes les manières possibles.

Il se dégage du dossier de son fauteuil pour mettre les coudes sur son bureau. Son visage exprime différentes émotions : l'inquiétude, bien sûr, mais aussi beaucoup de bienveillance. En tout cas, dans nul tic, nul trait, nulle ride, je ne perçois d'animosité.

Ça me soulage pour mon père. Il demande :

— Elle travaille aujourd'hui, Annie ?

— Non. Elle... Papa ne se sentait pas d'humeur à aller installer de la tuyauterie ce matin. Il a appelé ses clients pour remettre les tâches à plus tard cette semaine.

— Tant mieux. J'aurais besoin de lui. D'elle. Annie.

Je hoche encore la tête avec ce nouveau tic que j'ai acquis pour acquiescer. Monsieur Lemaire désigne le téléphone sur le coin de son bureau.

— Je peux l'appeler ?

— Ça lui ferait grandement plaisir, Monsieur. Vous voulez son numéro ?

— Non, je m'en souviens, répond-il.

Puis, il rougit en détournant le regard. Il se rend soudain compte qu'il vient de trahir le fait qu'il a mémorisé le numéro, la fois où il a invité Annie au restaurant. Pour se redonner une contenance, il me désigne la porte d'un mouvement vague de la main.

— Merci, Tristan. Tu peux retourner en classe maintenant.

Je quitte ma chaise et me dirige vers la sortie. Au moment où je franchis le seuil, tandis que monsieur Lemaire pianote sur son téléphone, il me fait un clin d'œil et m'annonce :

— Je tiens à réserver une belle surprise à Michel Voyer et aux trois imbéciles qui lui tiennent lieu de complices.

21

L E RESTE DE CE LUNDI SE TERMINE SANS QUE JE REVOIE MONSIEUR LEMAIRE. À trois reprises, entre deux cours, Voyer a tenté de m'intercepter dans un couloir, mais je suis parvenu à m'éclipser à chaque fois. Je ne doute pas que le chef des *Quatre épais* cherchait à savoir si ma rencontre avec le directeur signifiait que nous allions nous plier à ses exigences. Puisque je faisais en sorte de coller aux basques de Sarah Marcoux, le crétin a laissé tomber. Il ne prendra jamais le risque d'afficher ses bêtises devant elle.

Ni devant quelque autre jolie fille, d'ailleurs.

Au moment de monter dans le bus, je ne change pas ma manière d'être et parle abondamment avec Sarah qui, ma foi, ne manifeste aucune impatience devant mon verbiage. Au contraire, elle semble s'intéresser à toutes les banalités dont je l'entretiens. Je m'arrange aussi pour intégrer Fabrice dans mes bavardages afin que, lui non plus, ne se retrouve pas entre les griffes des idiots.

La pluie tombe toujours et je suis bien content, non seulement de me mettre à l'abri à l'intérieur du véhicule, mais également de m'asseoir en compagnie de Fabrice. Loin des *Quatre épais* et de Sarah, ça m'offre du coup une pause de discours décousu.

— Qu'est-ce qui t'arrive ? me demande mon copain en prenant place sur le banc du côté de la fenêtre, près des gouttes qui s'acharnent sur les vitres. Pourquoi parles-tu autant ?

— C'est ma manière d'échapper aux *Quatre épais*. Tant que je ne sais pas ce que monsieur Lemaire manigance, je ne veux rien avoir affaire avec eux.

— Tu ne l'as pas revu depuis ce matin ?

— Le directeur ? Non.

Le véhicule s'ébranle.

— Et ton père, tu lui as parlé ?

— Non plus. J'ai tenté de le rejoindre pendant le dîner puis à la fin des cours tout à l'heure, mais il est aussi volatil que le revenant qui a dormi près de toi, l'autre nuit.

Il passe une main sur son bras dans le but de réprimer un frisson. Il rétorque :

— Ça me fout la chienne, rien que d'y penser, à ce fantôme.

— Écoute, Fabrice : je ne sais pas qui – ou
quoi – s'est retrouvé dans ton dos, cette fois-
là, mais ce n'est certainement pas un spectre.
Ça n'existe pas.

Il me regarde en hochant la tête de gauche
à droite.

— Tu es impossible, Tristan. Comment
peux-tu continuer à affirmer le contraire de
ce que tes yeux t'ont prouvé ? Tu es aussi incrédule que les religieux sont croyants, finalement. Et pour les mêmes raisons. Pour refuser
d'avouer que tu as tort.

J'échappe un petit rire.

— Tu n'es pas si bête, quand tu te mets à
réfléchir.

Il rougit en baissant un peu le menton.

— En fait, ce n'est pas de moi. C'est
Anoushka qui a déclaré ça après votre départ,
à ton père et à toi, hier soir.

— Oh, celle-là !

Autant je me sentais remué de tendresse
lorsque j'entendais prononcer le nom d'Anoushka auparavant, autant j'en éprouve de l'irrita-
tion maintenant. Je la chasse rapidement de mes
pensées pour demander à Fabrice :

— Et ton paternel à toi, il dit quoi, à présent ?

— Lui, il est aussi incrédule que toi... et,
comme toi, il n'a aucune explication à nous

proposer. Puisque, en plus d'Anoushka, ni maman ni moi ne voulons habiter ce nid de spectres dont il a l'intention de devenir propriétaire, eh bien, il est furieux. Je sais que, aujourd'hui, il devait aller à la Caisse Populaire pour discuter de l'éventualité de faire annuler son offre d'achat. Si on la lui refuse, il demandera sans doute à l'un de ses avocats d'invoquer une clause concernant l'obligation des vendeurs de dévoiler qu'une maison a été le théâtre de morts violentes...

— Il savait déjà tout ça au moment de faire son offre.

— Il veut ajouter l'histoire du fantôme. Le problème, c'est qu'il ignore s'il peut utiliser les photos que nous avons prises. Nous les avons tout de même obtenues de manière illégale.

Je reste un instant silencieux, le regard fixé sur le dossier du siège, devant moi. J'avoue qu'il y a des éléments très troublants dans notre histoire. Sapristoche ! Serait-il possible que j'aie tout faux ? Depuis toujours ? Que la science n'ait pas réponse à tout ? Serait-il possible que l'au-delà existe et que des esprits – sortis de je ne sais quelle dimension parallèle – parviennent à hanter notre univers ?

— Qu'est-ce qui se passe ?

C'est la question de Fabrice qui me fait revenir à la réalité. L'autobus vient de s'immobiliser sur le bord de la route, loin encore des habitations où il effectue généralement ses premiers arrêts. Je me penche dans l'allée pour apercevoir le chauffeur et, au milieu des têtes aussi curieuses que la mienne, je le vois s'escrimer sur son bras de vitesse. Des grincements de roues d'engrenage font vibrer le plancher.

— Encore ce foutu bus qui fait des siennes, gronde une étudiante assise deux bancs devant moi.

— C'est de la merde, ce truc, approuve sa voisine.

— La commission scolaire est si pauvre ? questionne un gars de quatrième secondaire. Elle ne peut pas engager une meilleure compagnie de transport ?

— Avec des véhicules récents ? acquiesce son copain.

— Tristan...

Je me tourne vers Fabrice et je suis surpris de constater que, s'il m'interpelle, il ne me regarde pas.

— Quoi ?

— Tu as remarqué où l'autobus est tombé en panne ?

Les vitres sont si embrouillées par la buée que je mets un moment avant de reconnaître le lieu.

— Hé ! C'est le... l'entrée de...

— De la demeure des Turgeon-Hébert, oui.

Fabrice tourne vers moi des yeux grands comme des parapluies ouverts. Il reprend :

— Le bus vient de tomber en panne juste devant la maison hantée !

Quand le chauffeur se tourne vers nous après avoir rangé le téléphone cellulaire dans sa poche, il dit d'une voix forte :

— OK ! Pas de chahut, s'il vous plaît. On me confirme qu'on nous envoie un autre véhicule. Le seul problème, c'est que ça risque d'être un peu long.

— Mets au moins le chauffage, lui crie un étudiant de cinquième secondaire qui se prénomme Simon-Pierre.

— Ouais ! On se gèle le bacon, ici dedans ! renchérit Michel Voyer qui éprouve sans doute du courage à constater que des élèves plus vieux sont de cet avis.

Il se tourne en souriant vers les passagers pour vérifier si son insolence lui attire de la sympathie. S'il y a bien quelques rires çà et là, il doit être déçu de remarquer que Sarah Marcoux reste de marbre.

— Désolé, répond le chauffeur, mais comme je ne peux plus mettre l'embrayage au neutre, si je laisse tourner le moteur, la transmission peut casser tous ses engrenages.

S'ensuit une nuée de protestations. J'en profite pour jeter un œil vers l'arrière, là où est assise Anoushka en compagnie d'une vague amie à elle dont j'ignore le nom. La sœur de Fabrice fixe l'extérieur, les lèvres tremblotantes. Elle a reconnu le lieu.

Je tourne ensuite la tête vers le siège de Sarah Marcoux. Elle et sa copine Sonia m'observent, muettes et consternées. Je les invite de la main à ne pas s'en faire, mais moi, le premier, je commence à être un peu déboussolé.

Je note que le chef des *Quatre épais* me regarde avec suspicion, s'efforçant de comprendre les signes que j'échange avec la jolie Sarah. Je lui désigne la vitre du pouce.

— T'as remarqué où on est en panne ?

Il cherche à percevoir quelque chose à travers les vitres embuées, mais il abandonne rapidement.

— Je ne vois rien.

— Frotte un petit coin de fenêtre, ça va te plaire.

Intrigué, il se déplace pour gratter la vitre. Je me retiens de rire lorsque je vois son visage blanchir.

— Mais le bus n'a pas coutume de passer par ici ! fait-il en se tournant vers moi.

Ses trois acolytes regardent à leur tour par la trouée. Ils pâlissent comme leur chef de bande. Je hausse les épaules.

— Bof ! Par ici ou par le chemin habituel, c'est une distance égale pour rejoindre l'avenue principale. Le chauffeur aura voulu briser la routine.

— Et par hasard... entame Marco sans pouvoir finir sa phrase.

— ... nous tombons en panne juste devant ce... poursuit Robin à sa place.

— ... cette maison hantée ! termine Antoine, le plus pâle des quatre.

Je note qu'Anoushka les observe, les yeux ronds, trouvant dans leur expression terrorisée une motivation supplémentaire à sa propre peur. J'avoue que je me sens moi-même ébranlé.

— Eh ! C'est monsieur Lemaire ! lance la voix de Sarah Marcoux.

— H... hein ? dis-je étonné.

Elle a raison. Nous sommes tous familiers avec la voiture de notre directeur pour l'avoir vue régulièrement dans le stationnement de l'école. À travers les vitres embuées, nous la suivons des yeux tandis qu'elle se gare sur le bas-côté. La silhouette également bien connue de monsieur Lemaire émerge de l'automobile. Le col de son manteau d'automne relevé pour se protéger de l'averse, il court vers nous. Notre chauffeur lui ouvre aussitôt la porte.

— Il a fait vite pour nous porter secours, constate Simon-Pierre, l'étudiant de cinquième secondaire, tandis que tout le monde regagne sa place.

— Bonjour à tous ! lance le directeur après avoir secoué sa chevelure ruisselante de pluie. Désolé de cet incident. Je suis content que votre chauffeur m'ait rejoint directement. Je l'en remercie. J'ai pu procéder aux mesures qui s'imposent sans tarder. Nous aurons un autre autobus qui viendra vous prendre, malheureusement, il faudra patienter entre quarante-cinq et soixante minutes.

Il y a encore des protestations, mais moins importantes qu'avec le conducteur.

Forcément.

— Je sais que c'est désagréable, insiste monsieur Lemaire en levant deux mains devant lui pour calmer les murmures, mais ça fait partie des aléas de la vie. Pour vous montrer ma solidarité, je resterai à vos côtés dans ce moment pénible.

— Vous avez un bon manteau chaud pour ça, Monsieur, fait Simon-Pierre en rigolant.

Ça paraît que ce gars est plus âgé, il est à l'aise avec les adultes. Le directeur répond à son rire en ajoutant :

— Oui, c'est vrai que, moi, j'ai appris à me vêtir pour la saison. Ce n'est pas le cas de tout le monde, ici.

Et il pose son regard un instant sur Sonia, l'amie de Sarah Marcoux, qui ne porte qu'une mince veste de coton par-dessus un t-shirt. Une fois que les ricanements s'essoufflent, il reprend :

— Aussi, pour nous permettre d'attendre à l'abri de la pluie et du froid, nous avons l'autorisation d'aller nous mettre à couvert là-bas. Dans cette maison que vous voyez.

Et, de l'index, il désigne, à travers les vitres embuées la demeure des Turgeon-Hébert !

— La porte arrière n'est pas verrouillée, m'a-t-on appris.

22

NOUS SOMMES UNE TRENTAINE D'ÉTUDIANTS DE TOUS LES NIVEAUX, DONT MOINS DE DIX AVEC DES PARAPLUIES, À COURIR SOUS L'AVERSE. Nous parcourons les cent cinquante mètres qui séparent la cour arrière des Turgeon-Hébert de l'endroit où l'autobus est immobilisé.

— Entrez ! Allez, entrez ! clame le directeur de l'école en tenant ouverte la porte que les *Quatre épais*, les filles, Fabrice et moi avons empruntée à plusieurs reprises depuis jeudi dernier. Les premiers arrivés, les meilleurs coureurs, soit quatre garçons de quatrième et de cinquième secondaire ralentissent à l'approche de l'entrée, mais sans s'engouffrer à l'intérieur.

— Cette maison a mauvaise réputation, dit un grand maigre en hésitant sur le seuil.

— Comment ça ? demande un compagnon en levant le nez vers la bâtisse. Tasse-toi, je me fais mouiller, merde !

— Non, attends, Monsieur Lemaire !

Le directeur de l'école répond :

— Pas besoin de crier, je suis à côté de toi.

— Oui, mais je veux que tout le monde entende : c'est une maison maudite, ici. Il y a eu... des meurtres.

— Un seul meurtre, corrige monsieur Lemaire, sans le regarder, en scrutant plutôt la horde de jeunes qui, malgré la pluie, s'est immobilisée pour regarder la façade. Un seul meurtre... et un suicide.

Ceux qui, parmi les étudiants, ignoraient le détail, s'observent avec perplexité. L'urgence d'entrer se fait plus hésitante chez le groupe.

— Bon, ça va ! lance Simon-Pierre en tapant sur l'épaule d'un de ses potes. On ne va pas attraper une bronchite pour une histoire de meurtre. Tu viens ?

— Euh...

Comme son compagnon tergiverse, Simon-Pierre hésite aussi. C'est un certain Lucien, de quatrième secondaire, avec les cheveux bleus et un piercing au sourcil, qui s'avance pour entrer en premier.

— Ouais, ben moé, j'ai frette a'ec mon 'tit *coat*. Laissez-moé passer.

— En plus, il y a un fantôme ! crie Antoine d'une voix aiguë – suraiguë même –, ce qui arrête net le Lucien avec son « 'tit *coat* ».

— Qu'est-ce que tu racontes, le moron ? lance le grand maigre, un copain de Simon-Pierre. Tu l'as vu passer par la fenêtre ?

Il rit faussement tandis que plusieurs regards retournent scruter les fenêtres de la façade. D'autres se moquent aussi, mais personne ne prend l'initiative d'entrer le premier. Le directeur de l'école attend toujours et, silencieux, semble s'amuser des réactions autour de lui.

— On a même des photos ! ajoute Anoushka. Regardez ! Je les ai transférées sur mon téléphone à partir de l'ordinateur d'Antoine.

Un attroupement de parapluies se forme autour d'elle et très vite des cris de surprise et de peur éclatent.

— C'est effrayant ! s'exclame une fille.

— Il y a un fantôme couché avec ton frère ! lance une autre.

— Mais enfin, ce n'est pas possible ! affirme Antoine qui n'avait pas encore vu les photos prises de son ordinateur.

— On ne peut pas entrer dans cette maison ! déclare un garçon de troisième qu'on connaît pour avoir déjà organisé des soirées de spiritisme – où rien ne s'est produit. C'est une porte vers l'au-delà !

Il y a un début de mouvement pour retourner vers l'autobus. Je remarque que les *Quatre épais* se tiennent vaguement à l'écart, loin du seuil. Antoine garde les yeux au sol tandis que Voyer, tout aussi blanc et nerveux, scrute plutôt les fenêtres du deuxième étage. Je sens qu'il s'en faudrait de peu pour que chacun batte en retraite vers l'autobus en panne.

Le directeur de l'école en arrive à la même conclusion que moi et il lance :

— Eh bien ? Vous êtes tous des enfants du primaire, ou quoi ? Vous avez peur de vous mettre à l'abri à l'intérieur d'une maison parce que des histoires de fantômes circulent ? Je rêve !

Je prends l'initiative.

— Mais non, monsieur Lemaire ! Les revenants, ce sont des contes pour effrayer les moumounes. N'importe qui avec un peu de bon sens sait que ça n'existe pas.

Et, d'un pas décidé, je franchis la porte pour entrer dans la demeure des Turgeon-Hébert. J'y retrouve l'atmosphère habituelle, décor, semi-clarté, odeur... sauf pour une petite flaque humide sur le plancher à la sortie de la cuisine, près du couloir qui mène aux chambres. Mais je n'ai pas le temps de m'en préoccuper. J'observe plutôt qui a l'audace de me suivre.

À mon grand plaisir, la première personne à m'emboîter le pas est Fabrice. La silhouette monumentale de mon meilleur ami masque entièrement la lumière extérieure quand il s'engage sur le seuil. S'il jette quelques coups d'œil inquiets autour de lui une fois à l'intérieur, il n'en reste pas moins qu'il vient de faire preuve d'un immense courage. Au bout de trois secondes, Sarah Marcoux surgit à son tour. Cette fille commence sérieusement à attirer ma sympathie. Gentille, gaie, souriante... et méprisante envers les avances de Michel Voyer. Décidément, tout pour plaire.

Sonia – sans doute parce qu'elle gèle avec sa petite veste – puis Caroline, puis d'autres étudiants s'engouffrent à leur tour dans la maison : d'abord Simon-Pierre, ensuite ses camarades de quatrième et cinquième secondaire, enfin la quasi-totalité des passagers de l'autobus.

Si la plupart des élèves sont regroupés dans la cuisine, quelques-uns osent explorer le salon et même le couloir donnant sur les chambres. Aucun, bien sûr, ne prend le risque d'entrer dans une pièce ou de monter l'escalier menant à l'étage.

Tandis que la masse murmurante se rassemble, je me rapproche du directeur de l'école resté sur le seuil. Il encourage les retardataires à pénétrer à leur tour. Je chuchote à son oreille :

— Dites-moi, monsieur Lemaire : avez-vous réellement obtenu de je ne sais qui la permission de venir nous abriter ici ?

Il me jette une œillade avec un sourire en coin.

— Non.

— Est-ce un hasard si l'autobus est passé par cette rue ?

— Non.

— Et s'il est tombé en panne précisément à l'entrée de cette demeure ?

— Le chauffeur est mon cousin. Il me devait un service.

— Monsieur Lemaire, puis-je me permettre de vous faire remarquer que vous êtes aussi délinquant qu'une bande de jeunes qui se lancent le défi de passer illégalement la nuit dans une maison abandonnée ?

— Ne dis pas de sottises. C'est un cas de force majeure. Tout le monde allait attraper une double broncho-pneumonie.

— Vous êtes un terrible...

— Et alors, quoi ? m'interrompt-il en criant vers l'extérieur. Vous entrez ou vous avez trop peur de pisser dans vos culottes ?

La formule un peu vulgaire venant de la bouche d'un directeur d'école a pour effet d'attirer l'attention immédiate de tous les étudiants regroupés dans la maison. Monsieur Lemaire s'adresse aux *Quatre épais*, rassemblés en un tas compact sous un parapluie unique, à cinq pas au moins de la porte.

Voyer cherche à se donner une contenance en répliquant :

— Ben quoi ? Il ne fait pas si froid. Pourquoi on irait se marcher sur les pieds à l'intérieur ?

— Ce n'est pas toi qui craignais tantôt de « se geler le bacon » ? lance Simon-Pierre dans un éclat de rire général.

— La peur te réchauffe ? ajoute le grand maigre.

Devant le risque de passer pour des poules mouillées – surtout sous la pluie –, les *Quatre épais* se résignent à entrer à leur tour. Antoine, le plus poltron de la bande, se tient derrière et, dès que la porte est refermée, s'y adosse, prêt à la rouvrir et à fuir si jamais un spectre venait réclamer la paix à laquelle cette maison abandonnée l'a habitué.

D'un rapide examen du groupe, je note que la plupart semblent mal à l'aise. Je retiens un soupir à constater que, en dépit de leur absurdité, les histoires de fantômes – tout comme les peurs enfantines et les légendes urbaines — ont la vie dure même dans un siècle axé sur la technologie et les sciences.

Il faut préciser aussi que les photos d'Anoushka continuent de circuler !

— Ça s'est passé où ? demande Simon-Pierre.

— Dans la pièce, ici, répond la voix de Sarah Marcoux.

— Hé ! On ne va pas par là ! ordonne le directeur de l'école qui fend le groupe pour se placer entre la cuisine et le couloir. Restez de ce côté, ce sera très bien.

— C'est vrai qu'il s'agit d'une maison hantée, Monsieur ? s'informe une jeune fille prénommée Magalie.

Elle est en quatrième secondaire, mais suit des cours de rattrapage en maths dans ma classe.

— C'est ce qu'affirme monsieur Voyer, ici présent, avec ses trois camarades, oui.

Tous les visages se tournent vers les *Quatre épais* qui ne cherchaient sans doute pas, cette fois, à se trouver à l'avant-plan. Leurs sourires forcés ne manquent pas de me plaire. Je sens leur embarras. Plusieurs se moquent et je comprends pourquoi monsieur Lemaire a mis tant d'efforts pour que nous nous retrouvions ici afin de confronter ces imbéciles à leur bêtise, et aux yeux de tous.

Fabrice se penche à mon oreille pour chuchoter :

— Ils n'en mènent pas large.

— Saviez-vous que ces jeunes gens ont lancé un défi à Tristan Berthiaume et à Fabrice Marquis ? clame le directeur d'une voix forte. Ils les ont incités à passer une nuit complète dans cette maison pour montrer qu'ils n'avaient pas peur des fantômes. Or, le plus drôle, c'est que deux de nos quatre braves qui se font appeler les *Trois mousquetaires* n'ont pas tenu une heure. Il existe un petit film pour le prouver. À l'inverse, Tristan et Fabrice ont persisté jusqu'au matin.

Rires et moqueries transforment la pâleur du visage de Voyer en une vive rougeur. Ses mâchoires serrées expriment à la fois honte et colère. Magalie demande :

— Alors, c'est ça les photos où un fantôme dort dans le dos de Fabrice Marquis ?

— *Si* c'est bien un fantôme ! ne puis-je m'empêcher de corriger.

— Et qu'est-ce que ce serait sinon, maudite tarte ? lâche Antoine qui tremble autant de rage que de peur.

Sarah Marcoux attire la sympathie de tout le monde quand elle s'exclame :

— Il est drôlement courageux, ce Fabrice ! Il revient ici en dépit du fait qu'il y a côtoyé un fantôme.

— Mais filmer et photographier des spectres ne sont pas les seuls passe-temps de nos amis, les *Trois mousquetaires*, poursuit le directeur de l'école en entretenant ce qui me semble d'imprudentes attaques contre les *Quatre épais*. Imaginez-vous qu'ils font aussi en sorte de s'immiscer dans la vie privée des gens pour les faire chanter !

Oh, sapristoche ! Fabrice et moi, nous échangeons un regard rempli de doutes et d'inquiétude. Que manigance-t-il ? Si monsieur Lemaire met les *Quatre épais* en colère, ces derniers jetteront l'éponge sur leur chantage et, rien que pour se venger, publieront la vidéo qui le ridiculise en compagnie d'Annie.

— De... de quoi, parlez-vous ? proteste Michel Voyer. Quel chantage ? Quelle vidéo ? Vous cherchez quoi, au juste, monsieur Lemaire ? Qu'est-ce que nous avons fait à part entrer illégalement dans cette maison ? Sans rien briser, je tiens à le préciser.

— Si vous n'avez pas tourné de petit film, riposte monsieur Lemaire, en ce cas, je n'ai pas à craindre que vous étaliez ma vie privée sur Internet, n'est-ce pas ?

Tout le monde regarde les *Quatre épais* qui serrent les dents sans répliquer.

— Surtout que je n'ai rien à me reprocher, poursuit le directeur, implacable. Ma vie, à l'intérieur ou à l'extérieur de l'école, est exemplaire. Et j'ai le droit d'avoir les fréquentations que je veux.

— Ça, c'est vrai, grogne Simon-Pierre en haussant les épaules. Comme tout le monde.

Il y a des moues d'approbation ou d'indifférence, peut-être d'incompréhension, mais personne ne tient à contester ce qui paraît être une vérité indéniable.

— Qui a sur lui un téléphone qui lui permet de filmer ? demande le directeur.

Une quinzaine d'appareils apparaissent dans les mains des étudiants.

— Très bien. Mettez les vidéos en marche, car j'ai une surprise pour vous.

Cette fois, Fabrice et moi échangeons des regards inquiets. Que combine-t-il comme contrecoup au chantage des *Quatre épais* ?

— J'espère qu'il sait ce qu'il fait, que je murmure à mon copain.

— Chers amis, lance Lemaire, j'aimerais que vous soyez témoins d'une petite part de ma vie privée. J'aimerais vous faire partager mon nouveau bonheur.

Il tend la main en direction du couloir et je comprends tout à coup pourquoi j'ai aperçu une flaque d'eau sur le plancher en arrivant tout à l'heure. Quelqu'un était entré dans cette maison avant tout le monde pour se dissimuler dans la chambre vide.

— Permettez-moi de vous présenter mon amoureuse ! déclare le directeur de l'école.

Et là, les jambes me manquent ! Je me retiens au bras de Fabrice pour ne pas tomber.

En face de nous, vêtue d'une robe moulante, coiffée à la perfection avec des mèches torsadées qui encadrent son visage, maquillée juste ce qu'il faut, souriante et plus belle que jamais, apparaît Annie !

23

DANS LES MINES ADMIRATIVES DES PLUS VIEUX — NOTAMMENT DE SIMON-PIERRE ET DU GRAND MAIGRE —, JE PEUX CONSTATER L'EFFET DÉVASTATEUR DE LA FÉMINITÉ QUI SE DÉGAGE D'ANNIE. Gracieuse et resplendissante, elle s'avance au milieu de nous en jetant des sourires ravageurs ici et là. J'avoue que je ne suis pas peu fier d'entendre Sarah Marcoux souffler à mi-voix à Sonia et Caroline :

— Wow ! Elle est fichtrement jolie, la petite amie de monsieur Lemaire !

— Hé ! Mais c'est la belle-mère du bamboula ! clame Marco juste un peu trop fort de manière à être compris par d'autres que ses trois complices.

— Il a fauché la copine du père de Tristan ! réplique – intentionnellement avec la même intonation – Robin.

J'ai droit à quelques expressions intriguées, mais sans plus. De mon côté, je fixe papa – enfin, Annie – qui prend bien garde de ne pas croiser mon regard.

Sous les rectangles des téléphones qui filment à qui mieux mieux, le directeur va à la rencontre de la femme. Il l'accueille dans ses bras et devant les mines amusées, moqueuses ou complices de tous les étudiants, pose un long baiser sur sa bouche.

Je baisse la tête en portant la main à mon front. Non ! Non, je ne crois pas que ce soit une bonne idée.

Une salve d'applaudissements répond au geste effronté du directeur, suivie de sifflets et de hourras des plus exubérants. Du coin de l'œil, je note que Sarah Marcoux me jette un regard inquiet. « Ta belle-mère ? » formulent ses lèvres muettes. Je ne réplique rien, car je suis un peu dépassé. Sarah semble se désoler du fait que la conjointe de mon père vienne se réfugier dans les bras d'un autre homme. Voyer et ses trois faire-valoir paraissent trop perplexes devant ce que cherche à prouver Lemaire pour se réjouir de ma déconfiture.

Le directeur, tout sourire, la bouche un peu rougie par le rouge à lèvres, une main entourant solidement les reins d'Annie, se tourne vers nous. Bien sûr, mon père refuse toujours de regarder dans ma direction.

— Saviez-vous mes amis que Marco, là-bas, un sous-fifre de la bande des *Trois mousquetaires*, nous a secrètement filmés, Annie et moi, l'autre soir, à notre sortie du restaurant ?

Oh, non ! que je me dis. Oh, non ! Oh, non !

Il y a des ricanements et des coups d'œil mauvais en direction des *Quatre épais*.

— Figurez-vous que ce quatuor tenait à nous faire chanter parce que nous nous sommes un peu querellés !

Il y a comme un silence, une sorte de souffle retenu de toute l'assistance, qui me paraît dense et lourd comme si je le portais sur les épaules. Machinalement, sans qu'il réagisse, je me raccroche encore au bras de Fabrice. Le directeur demande :

— Est-ce qu'il y en a parmi vous dont les parents ne se chamaillent pas de temps en temps ?

— Tout le temps, entends-je un gars murmurer derrière moi.

— Des fois, souffle Magalie.

— Chez nous, il a fallu acheter de la vaisselle incassable, lance Simon-Pierre, ce qui déclenche un éclat de rire général.

— Et vous savez pourquoi on se querellait ? demande le directeur. Aimeriez-vous que je vous le confesse ?

— Non, monsieur, répond sans hésitation un gars de cinquième. Ça ne nous regarde pas.

— C'est vrai, monsieur. C'est privé, approuve un second.

— On ne tient pas à connaître votre vie intime, ajoute Sarah Marcoux pour mettre un point final à la question.

— Eh bien, je vous le confierai tout de même, riposte le directeur, implacable. Ni Annie ni moi n'avons quoi que ce soit à cacher. Nous nous chicanions parce que j'ai été bête. Oui, oui, moi ! Vraiment bête. Malgré le moment formidable passé avec elle, malgré le fait d'avoir découvert l'âme sœur que j'espérais depuis toujours, j'ai été assez stupide pour ne pas accepter qu'elle ne soit pas à *cent pour cent* la femme que j'imaginais. Vous en connaissez, vous, des gens qui se complètent à cent pour cent ?

Mêmes réactions qu'à l'interrogation précédente. À interpeller ainsi son auditoire sans arrêt, je comprends que monsieur Lemaire tente de lier tout le monde à sa cause dans le but de créer un front commun contre les *Quatre épais*. N'empêche que je suis loin de me sentir rassuré.

Je cherche des points neutres où poser les yeux sans croiser le regard de qui que ce soit. La porte du placard sous l'escalier me paraît un excellent compromis.

— J'ai été assez stupide pour refuser l'amour d'Annie seulement parce qu'elle n'a pas un physique parfait.

— Allons donc ! fait la voix du gars de cinquième dans mon dos. Elle est canon, cette femme.

— Elle est super-hot, votre blonde, monsieur Lemaire ! lance Simon-Pierre, décidément audacieux.

— On dirait une vedette de cinéma ! ajoute le grand maigre, plus retenu.

Lemaire se tourne vers papa et propose :

— S'il te plaît, Annie. Tu veux bien leur montrer ce qui m'a surpris, chez toi, et m'a fait très mal réagir ?

— Avec plaisir, répond mon père.

Et, sans gêne aucune, devant tout le monde, les deux mains de chaque côté de son visage, il glisse les doigts dans ses cheveux...

Et retire sa perruque !

Décrire l'état de choc qui fige l'assistance est difficile. La seule image qui me vient à l'esprit... est celle d'un camion poids lourd qui tombe d'une falaise directement sur une fourmilière. Je crois que plus personne ne respire pendant au moins une heure. Je pourrais dire « une semaine » que je ne serais pas dans l'erreur, car le temps m'a paru infini.

Et papa reste là à promener son sourire ravageur sur l'assistance, ses dents éclatantes mariées à ses profonds yeux bleus, sa silhouette impeccable... Son charme habituel, quoi ! Il s'accroche au bras de Lemaire qui lui caresse la joue du dos des doigts. Mon père pose sa tête sur l'épaule du directeur dans un mouvement de tendresse authentique. Il se décide enfin à me regarder et je lis tant de bonheur dans ses yeux que je n'ose pas lui renvoyer la mine furieuse que je m'étais promis de lui faire.

Je souris. Non sans songer qu'on est dans la merde.

Je me tourne de nouveau vers la cloison fermant le bas de l'escalier. Je note tout à coup quelque chose d'intrigant. Je m'y arrêterais plus sérieusement, mais les premiers mouvements autour de moi commencent à se dessiner et me ramènent à plus urgent. La voix de l'étudiant dans mon dos murmure :

— Ça alors, ce gars-là, c'est la plus belle fille que j'aie jamais vue !

— C'est... c'est pas possible ! C'est un transgenre ou quoi ? demande quelqu'un d'autre.

Les murmures fusent çà et là. Tandis que je m'attends à ce que, d'une seconde à l'autre, la plus grande des confusions éclate, Simon-Pierre, fort de son âge et de son autorité naturelle, s'avance. Il demande :

— Monsieur Lemaire, vous nous faites une sortie de placard, si je comprends bien ?

— Je l'avoue, oui, répond le directeur avec assurance et d'une voix forte. En fait, c'est devant vous, mais pas pour vous que je fais cette sortie. C'est pour moi. Je crois que, avant ces derniers jours, je n'avais jamais accepté d'admettre qui je suis vraiment.

— Vous êtes homosexuel ? demande le grand maigre.

— Non ! rétorque aussitôt monsieur Lemaire. Je suis bisexuel. Et parce que je me refusais à cette réalité, j'ai failli passer à côté d'une personne merveilleuse.

Et il serre mon père contre lui.

— Ça veut dire que... hésite une étudiante.

— Ben oui, un gars ou une fille, confirme une autre élève. Pour lui, c'est pareil. Et après ?

— Ben alors, là, monsieur, chapeau ! s'exclame Simon-Pierre. Vous avez un sacré culot ! Je vous félicite !

— Vous avez un courage incroyable ! approuve Sarah Marcoux. Quelle audace de nous déclarer ça, comme ça, en improvisant une...

Elle s'interrompt d'elle-même pour reprendre, la seconde suivante :

— En fait, à bien y penser, je me demande jusqu'à quel point c'est improvisé. La panne du bus en face de cette maison, notre attroupement à l'intérieur, l'arrivée fortuite de votre amoureuse...

Monsieur Lemaire pointe un index en direction des *Quatre épais*. Il déclare :

— Je tenais, non seulement à ce que la vidéo tournée par ces coquins perde tout de sa menace potentielle, mais que ceux-ci cessent de jouer les méchants. Maintenant qu'ils ont exposé à tout le monde leur propre faiblesse, la peur, j'espère qu'ils vont appendre l'humilité et mettre fin au harcèlement de leur entourage.

Tandis que j'hésite toujours à aller retrouver mon père et montrer à ceux qui l'ignorent encore que lui et moi nous sommes liés, je constate que Sarah Marcoux s'est approchée de moi. Elle balbutie :

— Ta belle-mère... enfin, je veux dire, ton père... enfin, les deux, quoi, je les trouve absolument géniaux !

— Vraiment ?

— Vraiment !

— Tu ne dis pas ça pour me faire plaisir ?

— Mais sapristi ! Tristan, regarde tout le monde autour de nous. Ils les acclament, non ?

Bon, le verbe « acclamer » est peut-être un peu fort, mais j'admets que Sarah n'a pas tort en ce qui concerne l'accueil positif du groupe en général. S'il y a bien quelques jeunes de première et deuxième secondaire qui semblent encore dépassés par ce personnage ni homme ni femme – ou les deux – la tête sur l'épaule de notre directeur d'école, j'avoue que les plus grands, surtout ceux qui sont les plus proches de Simon-Pierre, n'émettent que des commentaires enthousiastes.

— C'est vraiment beau de les voir comme ça, insiste Sarah en fixant mon père et Lemaire.

— Ouais, ouais, que je réplique en échangeant une moue embarrassée avec Fabrice, puis en cherchant à perdre mon regard ailleurs que sur le couple.

— C'est un peu comme si, toi, Tristan, tu tenais une fille par la main, tu vois ? poursuit Sarah qui s'émeut à observer les étudiants entourer leur directeur. Ou que tu lui laissais poser sa tête sur ton épaule. Une copine que tu aimerais bien et qui t'aimerait bien. J'ignore quelle fille, bien sûr, mais... euh... toi, tu as peut-être une idée.

Sans répliquer, je continue de balayer la maison du regard.

— En tout cas, intervient Caroline, c'est vrai que tu es sacrément intelligent Tristan. T'es un super-hyper bollé en classe. Mais pour ce qui est de voir l'évidence, t'es absolument nul.

— De quoi tu parles, toi ? que je demande distraitement, car je viens de poser de nouveau les yeux sur ce qui m'avait intrigué plus tôt sur la porte du placard.

— Je dis que si Sarah dansait devant toi déguisée en clown avec une immense pancarte sur laquelle il serait écrit en caractères de vingt centimètres « Je te trouve mignon et j'ai envie de sortir avec toi », tu ne l'apercevrais même pas.

— Mais si, mais si, que je réplique sans écouter et en me dirigeant vers la cloison qui forme la base de l'escalier.

— Qu'est-ce qui se passe ? demande Fabrice. Où tu vas ?

— Regarde.

— Quoi ?

Je place l'index près de la serrure.

— Une tache verte. Comme celles trouvées sur le tapis près de l'endroit où tu as dormi et de la même teinte que la peinture sur la toile en haut. On distingue même des empreintes digitales.

— Qu'est-ce que ça veut dire ?

Je joue sur le pêne qui s'ouvre, mais la porte reste verrouillée.

— Qu'est-ce que vous faites, les gars ? s'informe Sarah qui s'est approchée, en compagnie de Sonia et de Caroline.

— C'est étrange, cette porte est fermée, mais... de *l'intérieur*. On voit le crochet par l'interstice. Regarde.

— De l'intérieur ?

— Il n'a pas l'air très costaud, d'ailleurs, ledit crochet. Fabrice, aide-moi. Essaie de glisser tes doigts dans cet espace... je sais, c'est étroit et tu as de sacrées paluches, mais... Voilà ! Comme ça. Maintenant, tire avec moi.

Fabrice et moi n'avons pas besoin de nous arcbouter très solidement pour que le mince crampon qui bloque l'accès cède sous nos efforts. Nous ouvrons tout grand la porte. Je reconnais aussitôt, et en plus fort, l'odeur de moisissure qui stagne dans tout le bâtiment.

Comme la lumière ambiante n'est pas suffisante pour nous permettre de bien distinguer ce qu'il y a à l'intérieur, tous les cinq, avec un bel ensemble, nous nous penchons à travers l'embrasure.

Et, avec le même bel ensemble, nous reculons précipitamment.

Caroline et Sonia poussent un cri terrible, simultané et strident, qui fait sursauter tout le monde.

— Qu'est-ce qui se passe ?

Mon père et monsieur Lemaire se précipitent vers nous. Ils ouvrent un passage à travers la masse d'étudiants figés. Sarah, Caroline et Sonia ont reculé de plusieurs pas. Elles sautent sur place en continuant de glapir pour évacuer leur peur. Fabrice et moi n'avons presque pas bougé. La porte du placard est grande ouverte devant nous.

— Laissez-moi voir, ordonne monsieur Lemaire en nous écartant d'une main sur l'épaule.

Nous obtempérons. Papa... ou plutôt Annie – il a remis sa perruque – m'enserre pour m'obliger à m'éloigner avec elle. Puisque je m'obstine à rester sur place, elle n'insiste pas, se contentant de me protéger avec ses bras.

La première chose que monsieur Lemaire aperçoit est un détail que, moi, je n'ai pas remarqué : un interrupteur. Il l'allume. Une vulgaire ampoule jette une lumière à la fois vive et jaunâtre. Apparaissent les murs de planches nues sans peinture ni teinture, bariolées de traces d'humidité. Il y a des champignons dans les angles, preuve que ce recoin n'est ni chauffé ni aéré adéquatement.

Des toiles d'araignées pendouillent de partout, des boîtes de conserve ouvertes traînent ici et là, des bouteilles de plastique et quelques assiettes s'empilent dans un renfoncement.

Dans le fond du réduit, il y a surtout ce que nous avons aperçu dans la pénombre et qui a fait hurler Caroline et Sonia. Au premier abord, ça ressemble à un fantôme à cause de cette couverture blanche. Ça peut évoquer aussi un monstre vu sa chevelure hirsute, ses yeux apeurés, grands comme des mains ouvertes. Sa bouche béante est déformée par une expression de terreur indicible. Ça nous dévisage en haletant, secoué de frémissements, comme un animal aux abois.

C'est particulièrement saisissant parce que, au fond, il ne s'agit que d'une petite fille !

24

DANS LES JOURS QUI SUIVENT, DES PARENTS TROP PRUDES OU DES COMMISSAIRES COINCÉS AURAIENT NORMALEMENT ENTREPRIS LES DÉMARCHES POUR ÉCARTER DE SON POSTE UN DIRECTEUR D'ÉCOLE ayant confessé sa bisexualité à tout un groupe d'étudiants, mais il n'en a rien été. Le public et les journalistes ont l'esprit bien trop préoccupé par... l'autre sujet. L'autre sortie de placard, au sens propre comme au figuré.

Aussi, à mesure que les semaines passent et que s'essouffle l'intérêt pour la maison des Turgeon-Hébert, plus personne ne songe à mener campagne contre un gestionnaire compétent qui n'a à se reprocher qu'une vie privée en marge de la société.

En ce jour du début du mois de décembre, c'est l'anniversaire de Fabrice. Il a quinze ans, ce gros toutou, même s'il stagne en première secondaire dans plusieurs matières. Mais bon, ce n'est pas pour ça qu'on va lui jeter la pierre, pas vrai ? D'ailleurs, comme cadeau, en plus d'un livre sur le sumo, je lui offre une carte sur laquelle il est écrit que je m'engage à l'aider dans ses devoirs de maths pendant toute l'année scolaire.

En lui tapotant la poitrine de l'index, j'affirme :

— Je te promets que, cette année, tu obtiendras la note de passage.

— C'est vraiment le présent le plus formidable qu'on lui ait jamais offert, s'enthousiasme madame Diane.

— Pas à dire, renchérit Pierre Marquis, difficile de trouver mieux pour lui.

Il se tourne vers Sarah, Caroline et Sonia qui ont toujours leur cadeau dans les mains, et il ajoute :

— Sans vouloir vous mettre de pression, les filles.

— Bon, ben, il les ouvrira plus tard, les autres surprises, hein ? réplique Sarah en faisant mine d'être offusquée.

Nous rions.

Nous sommes dans le sous-sol chez les Marquis. Anoushka est là également, mais elle ne fait acte de présence que parce qu'il s'agit de son frère. Elle ne partage pas beaucoup d'affinités avec les trois autres filles et moi.

J'aime bien préciser « et moi ». Je suis guéri d'elle. Oui, bon, c'est une façon de parler. Ce n'est pas son indifférence qui m'a blessé. Je me sens disons « sevré » d'elle, plutôt. Je ne ressens plus aucune envie de m'abreuver de sa présence. Au contraire, elle me tape sur les nerfs, désormais. C'est que, si belle soit-elle, je la trouve trop bête et, surtout – mais ça, ça ne s'explique pas –, antipathique.

Enfin, ça ne justifie pas que je sois désagréable avec elle. Sinon, ça signifierait que je réagis comme les *Quatre épais* qui harcèlent ceux qui sont différents. Anoushka ne m'est plus sympathique ? Je m'arrange pour la croiser moins souvent, c'est tout. Même si c'est la sœur de mon meilleur copain.

Annie m'accompagne, car les parents de Fabrice ont tenu à l'inviter. Je crois qu'ils l'aiment bien et se moquent éperdument que ce soit une femme ou un homme. Ils sont vraiment bien, ces gens-là. Papa, depuis qu'il s'affiche publiquement au bras de Jérémie... je veux dire, monsieur Lemaire – maintenant, en dehors de l'école, j'ai l'autorisation de l'appeler par son prénom –, depuis que papa et Jérémie, donc, ne se gênent plus pour sortir officiellement ensemble, Annie a pris le pas sur Jean-Michel.

L'important, c'est que mon père se sente bien dans sa peau, pas vrai ? Moi, en tout cas, ça ne me dérange pas du tout. J'ai le privilège de posséder un paternel et une belle-mère dans la même personne. Il n'y a pas beaucoup d'adolescents habitant un foyer monoparental qui peuvent profiter d'une chance comme la mienne.

— Vous avez appris à propos de la maison des Turgeon-Hébert ? demande Pierre Marquis au moment où nous nous attaquons au gâteau au chocolat.

— On va la démolir, pas vrai ? réplique Sonia.

— Exactement ! confirme le père de Fabrice en pointant sa fourchette en plastique vers la jeune fille. À cause de cette enfant. On dit que suffisamment d'horreurs se sont passées dans cette demeure pour qu'on la rase. Il n'y a donc plus que le terrain qui sera à vendre, mais pas dans l'immédiat. On a annulé mon offre d'achat.

— Cette fillette est restée combien de temps, toute seule, comme ça ? demande Caroline.

— Des semaines après la mort de ses parents, répond madame Diane. Quelle horreur ! Pauvre petite ! Une enfant de sept ans qui n'a jamais pu aller à l'école, à qui on avait interdit tout contact avec qui que ce soit.

— C'est surtout que, depuis sa naissance, elle n'avait pratiquement jamais vécu en dehors de son placard, dit Annie. Imaginez combien il faut avoir l'esprit malade pour maintenir sa propre enfant enfermée toute sa vie. Pour lui faire croire que le monde extérieur est malsain et qu'elle doit s'en protéger.

— On prétend que la Hébert autorisait de temps en temps la fillette à se rendre dans les autres pièces quand Turgeon était absent, fait remarquer Sarah, une main devant la bouche, car elle n'a pas fini sa dernière bouchée. La femme a appris à peindre à son enfant.

— Après avoir tué son épouse et avant de se suicider, raconte Pierre Marquis, Turgeon aurait aussi tenté d'assassiner la petite. Il l'aurait étranglée puis laissée pour morte. La fillette s'est réveillée des heures plus tard, toute seule.

— Vraiment malade, ce gars-là ! souffle Sarah en dodelinant de la tête.

— Après avoir été retrouvée, l'enfant a quand même pris un long moment avant de faire confiance aux psychologues, rappelle madame Diane. Ce n'est pas avant plusieurs jours que les autorités ont pu obtenir sa version à elle des événements. Comme elle doit encore avoir peur de tout ce nouveau monde autour d'elle ! Non, vraiment, pauvre petite !

Ces détails sordides, tout le monde les connaît déjà pour les avoir lus dans les journaux et les avoir entendus *ad nauseam* à la télé. Mais les humains sont étranges : ils se délectent à répéter des horreurs maintes fois ressassées pour le plaisir de frissonner en commun. Voilà un autre sujet de réflexion sur lequel je devrai trouver une explication logique.

Pierre Marquis poursuit :

— Sans sa mère et son père, la petite était complètement perdue. Pour elle, les gens qui arrivaient de l'extérieur ne pouvaient être que des méchants lui voulant du mal. C'est pourquoi elle s'est cachée des policiers lorsque ceux-ci sont venus enquêter. Si les agents avaient bien fouillé le placard à ce moment-là, ils ne seraient pas passés à côté de cette découverte... pas très brillants de louper une fillette.

Comme il hésite à poursuivre, car il avale une bouchée, c'est papa-Annie qui précise le détail.

— Une fillette cachée au deuxième étage dans un minuscule espace entre les piles de boîtes de conserve et derrière les bouteilles d'eau.

— C'est elle que j'ai aperçue à la fenêtre, pas vrai, Tristan ? demande Fabrice. La fois où nous étions sur la balançoire.

— Oui. Notre présence dans la maison a dû l'empêcher d'aller se réfugier dans son placard. C'est elle aussi qui, assurément, par inadvertance, en sortant de sa cachette, a fait tomber la bouteille qui a tant effrayé Voyer et Antoine.

— Et c'est elle qui, sans le savoir, se promenait devant la caméra, suppose Caroline.

— Ses mouvements rendaient l'image floue, donnant l'impression que c'était un fantôme, que je précise. Sans parler de cette couverture blanche qu'elle portait. Elle s'en servait sans doute pour se protéger des premiers froids de l'automne. Elle ne devait pas savoir comment régler le thermostat.

Je ne manque pas de jeter un coup d'œil en direction d'Anoushka pour stipuler :

— J'avais donc raison depuis le début.

La sœur de Fabrice ne relève pas le nez de son assiette et se contente de hausser les épaules.

— Garder l'esprit rationnel permet de mieux comprendre les choses, même les plus... hésite Pierre Marquis.

— Irrationnelles, complète son épouse.

En riant, je dis :

— Voyer et Antoine ont eu la chienne de leur vie en apercevant ce petit bout de chou qui les fixait dans l'angle de l'escalier. Déjà apeurés par le bruit de la bouteille tombée par terre, dans la pénombre et en passant au pas de course, je présume qu'il leur a été plus facile de voir un spectre plutôt qu'une fillette enveloppée d'une couverture.

Sarah rit plus fort que les autres en me faisant un clin d'œil. Ça me rappelle qu'il faudrait que je réfléchisse à ce que répète souvent Caroline, à demi-mots, à propos de clown et de lettres de vingt centimètres.

— N'empêche que... hésite Fabrice en réprimant un frisson d'effroi, n'empêche que la fois où la fillette s'est couchée près de moi, c'était... *weird*.

— Fabrice, on dit « insolite », corrige sa mère.

— Oui, c'est assez spécial, dis-je.

— Sans doute cherchait-elle à surmonter sa peur, suppose monsieur Marquis. Elle s'efforçait de comprendre ce que vous faisiez là.

— Elle aurait pu demander, suggère Sonia, mais sans penser une seconde à ce qu'elle vient d'énoncer.

— Je ne crois pas qu'elle savait comment communiquer avec les autres, indique papa-Annie. Sans sa mère et son père pour lui dire ce qu'il faut faire...

— Elle devait se sentir terriblement perdue, fait remarquer Pierre Marquis. Incapable de savoir comment réagir face à ces intrus qui envahissaient son monde.

— Vous n'auriez pas un sujet plus gai à aborder ? grogne soudain Anoushka qui semble avoir de la difficulté à apprécier, non seulement notre conversation, mais la fête tout court.

— Aimerais-tu qu'on parle de chevaux ? que je suggère à la surprise de tout le monde.

Elle me jette un regard méfiant, incapable de déterminer si je suis sérieux ou si je me moque d'elle.

— Qu'est-ce que tu y connais, toi ? fait-elle en retournant à son assiette de gâteau.

— Mais tout ! J'ai lu plein de trucs sur les chevaux quand j'ai appris que ça t'intéressait.

Elle fronce les sourcils.

— C'est vrai ?

— Non. Jument.

Mais à part Sarah, personne ne rit de mon calembour.

25

CE SOIR-LÀ, AVEC PAPA, JE PARLE BEAUCOUP DE MAMAN. JE VEUX TOUT SAVOIR. ET IL NE ME CACHE RIEN. Pour la première fois de ma vie, tout ce que j'ignore encore d'elle et tout ce que je suis en droit de connaître, tous ces détails qui me la rendent plus vraie, plus vivante, je les apprends.

Et cette même nuit, parce que j'en ai beaucoup parlé, parce que j'y ai beaucoup pensé, je rêve d'elle.

En fait, c'est plus qu'un rêve. Je me vois couché dans mon lit, et ma mère apparaît dans ma chambre semblable au spectre sur les images de la caméra. Sauf que les formes, loin d'être floues, sont précises et riches de détails comme un jour d'été.

Elle me sourit comme sur cette photo qui trône près de la crédence – ce cliché de vacances dans les tropiques, avec chapeau de paille, jupe frangée de fleurs et vaguelettes sur les chevilles. Dans ma chambre, maman porte une robe identique, avec le même chapeau de paille... et ses pieds ruissellent d'eau de mer.

Je me redresse sur les coudes, parfaitement conscient d'être en train de dormir.

— Maman ?

— Je veille sur toi, Tristan. Rendors-toi.

— Maman, je sais que ce n'est pas possible. Mais je suis heureux que tu sois là.

Je quitte mon lit, m'approche d'elle.

— Heureux.

Contrairement à ces ectoplasmes de fumée des histoires de fantômes, elle ne se dissout pas à mon contact. Bien au contraire, je me blottis dans ses bras. Immédiatement, je retrouve son parfum, sa chaleur, sa douceur.

— Je sais que je rêve, maman, mais c'est tellement, tellement bon que tu sois là.

Ses doigts ébouriffent mes cheveux. En l'étreignant, je plaque mes mains contre le creux de son dos et je suis étonné de reconnaître sous ma paume la bosse d'un petit nævus qu'elle a toujours eu sous une omoplate. Des larmes grosses comme des billes roulent sur mes joues et me chatouillent.

Je ne veux surtout pas me réveiller.

— J'aimerais tant que tu ne sois pas un rêve, maman. Que la vie se poursuive après la mort.

— La mort est ce que tu en fais, Tristan, me répond-elle. Elle peut être la fin de tout ou la source d'un renouveau. Comme tu veux.

— La mort, j'aimerais qu'elle s'éloigne de moi. À jamais.

— Il ne t'est pas possible de te distancer d'elle. Comme la lumière produit l'ombre, la vie génère la mort, et la mort ne peut exister que par la vie qui la précède. Elles sont indissociables.

— Mais toi, maman ? Toi ?

— Moi, je suis indissociable de toi. Tu as été le bébé, puis l'enfant, puis le grand garçon que m'a donnés mon passage sur Terre. Maintenant, pour toi, je suis la force que mon décès t'a offerte.

— Tu existeras donc toujours, maman ? Au-delà la mort ?

— Bien sûr. Il suffit que tu ne me refuses pas, Tristan.

Et je ferme les yeux en la serrant encore plus fort contre moi. Quand je les rouvre, je suis couché en fœtus par-dessus mes couvertures, mon oreiller mouillé de larmes écrasé entre mes bras.

Je m'assois sur le bord du matelas, haletant d'avoir tant sangloté. Je crois que c'est la première fois depuis que maman est partie que je prends autant conscience de son absence et, en même temps... de sa présence.

Je replace les cheveux que ma mère a ébouriffés. Je renifle en essuyant mon nez du dos de la main. Je respire son parfum !

Malgré tout, mon esprit rationnel se remet en marche.

Je sais que j'ai rêvé. Seulement rêvé. Même si tout paraissait si vrai, si intense, si... vivant. Même si le parfum de ma mère subsiste dans ma chambre, je comprends qu'il ne s'agit que d'une illusion de mon cerveau perturbé.

« La mort est ce que tu en fais, Tristan. Ne me refuse pas. »

Je me lève, je fais deux pas... puis je sursaute ! À l'endroit même où, dans mon rêve, maman me serrait dans ses bras, je mets les pieds dans une petite flaque d'eau.

Camille Bouchard

Après les thèmes plus mélancoliques, voire douloureux, de certains des romans que j'ai publiés dans les dernières années, notamment *Le Coup de la girafe*, j'avais envie d'écrire quelque chose de lumineux, de souriant. Mais les notes que j'accumulais dans mon ordinateur ne semblaient guère aborder des questions prêtant à réjouissances : deuil, absence, rejet, harcèlement, meurtre, suicide, acceptation de soi, différence, et puis aussi religion, fantômes, l'au-delà…

J'avais bien matière à écrire quatre ou cinq romans, mais tous les propos baignaient dans l'affliction, la douleur, la tristesse…

Non ! Je n'avais pas envie.

Alors, je me suis lancé un défi en deux étapes :

1. amalgamer tous ces sujets en un seul récit où chaque thème enrichit l'histoire ;

2. faire en sorte que la vie et l'espoir s'imposent en dépit de la dureté des questions traitées.

Toute une commande !

Le résultat est le livre que vous tenez entre vos mains.

GARANT DES FORÊTS
INTACTES

Ce livre a été imprimé sur du papier Sylva enviro
100 % recyclé, traité sans chlore, accrédité Éco-Logo
et fait à partir d'énergie biogaz.

Achevé d'imprimer
à Montmagny (Québec)
sur les presses de Marquis Imprimeur
en juillet 2014

MARQUIS